# Objetivo: la Tierra

E.T. RANDALL

*Ilustraciones: Jackie Rogers*

SITESA
SISTEMAS TECNICOS
DE EDICION, S.A. de C.V.

Versión en español de la obra titulada Target: Earth, de E. T. Randall, publicada originalmente en inglés por Troll Associates, Mahwah, New Jersey, © 1985 por Troll Associates.

Esta edición en español es la única autorizada.

© 1988 por **Sistemas Técnicos de Edición, S.A. de C.V.**
San Marcos 102, Tlalpan, 14000 México, D.F.

Impreso en México. *Printed in Mexico.*

ISBN 968-6135-69-3                ABCDEFGHIJKL-M-898

# Antes de que inicies
# tu extraña aventura. . .

Recuerda que debes leer este libro de una manera diferente de como lees otros. Empieza por la página 1 y sigue leyendo hasta que sea necesario que tomes una decisión. A partir de entonces, la historia depende de ti. Tus decisiones te llevarán de página en página. Algunas de tus elecciones te llevarán a finales emocionantes, heroicos y felices, pero, ¡actúa con precaución! Otras decisiones pueden llevarte con rapidez al fracaso.

Ahora, puedes comenzar. ¡Te deseamos mucha suerte en tu **extraña aventura**!

¡WHIZZZT! El anzuelo de tu caña de pescar se hunde en el agua detrás de tu bote. Tus vacaciones en el parque nacional Kinnicot han sido muy activas: caminatas, campamento y pesca. ¡Ay, si pudieras atrapar algo! Has estado solo en este apartado lago desde la madrugada, sin haber conseguido pescar nada. Después de unos cuantos minutos, enrollas de nuevo la cuerda para volver a intentarlo.

De pronto, otro ruido ahoga al de tu caña. ¡KA-POCK! ¡KA-POCK!

"¿Maquinaria?", te preguntas. "¿En medio de un parque nacional?"

De repente, una enorme antena metálica se eleva por detrás de una colina cercana. Te preguntas para qué son todos los artefactos que tiene.

Conforme la antena se eleva, te das cuenta de que no está apoyada en el suelo. ¡Toda la estructura está flotando en el aire! Y toda la orilla del lago se ve rara, como si la arena se hubiera convertido en cristal. ¿Será por *esto* que no pican los peces?

Pero ahora los peces ya no son tan importantes. Ahora la pregunta es, ¿qué sucede aquí?

*Si estás emocionado y sientes curiosidad por la misteriosa antena, apresúrate a desembarcar y pasa a la página 43.*

*Si decides que no quieres saber nada de esto, regresa con tu bote y dirígete a la página 73.*

*Si deseas investigar sobre la antena sin ser visto, acércate sigilosamente a la orilla y pasa a la página 98.*

**2**

"¡Hey!", gritas. "¡Aléjate de ahí! ¡Esos coyotes te matarán!"

El Skrii voltea la cabeza. Tú te sorprendes. ¡La cosa lleva un casco! El casco emite lucecitas mientras la criatura castañetea y emite chirridos en dirección a ti. El Skrii habla ¡y tú entiendes lo que dice! "¡Una criatura inteligente!", dice. "Dime, Ser Suave, ¿cómo puedo protegerme?"

"Súbete a un árbol; eso es lo que yo hice", le contestas. "¡Pero date prisa!"

"¿Subirme a una de esas plantas largas? No estoy segura de poder hacerlo." El Skrii enreda sus miembros delanteros en el tronco de un árbol, pero no puede treparse.

Ya no queda tiempo. Si tan solo tuvieras algo con qué detener a los coyotes. ¡Harán pedazos a este pobre extraterrestre! Entonces, recuerdas que te encuentras sobre un roble. ¡Aquí hay muchas bellotas!

Agarras varias de ellas y dejas escapar un bramido. "¡WHHAAAAAAAAAHUUUUUUUUU!"

El ruido detiene a los animales. Les lanzas bellota tras bellota. Para ellos no son más que pequeños piquetes que los distraen, pero la mayor parte de la manada se da vuelta y se echa a correr en otra dirección.

Sólo se queda una de las bestias, que mira al indefenso extraterrestre con ojos amenazadores, le gruñe y se prepara para saltar sobre él.

*Pasa a la página 100.*

El extraterrestre con cara de corteza parece tener demasiada confianza en sí mismo. Por otro lado, los guardias están de su lado. Tú inclinas la cabeza y esperas que suceda lo mejor.

Te llevan a una celda; es una habitación pequeña y abierta que da hacia el muro de un túnel. La celda no requiere de rejas, pues en la entrada se encuentra un guerrero Skrii que garantizará que no vayas a ninguna parte. Sin embargo, te das cuenta de que el guerrero tiene pequeñas manchas de óxido en su caparazón.

Sentado en la semioscuridad, pierdes la noción del tiempo. Las paredes desnudas de tu celda parecen venírsete encima. De pronto oyes un estruendo fuera de la celda. Tu guardián ha caído en medio del túnel. Las manchas de óxido se han extendido por todo su caparazón.

"¡Ésta puede ser mi única oportunidad!", te dices, saltando hacia la entrada de tu celda. Luego, dudas. Tu guardia ya no parece un fiero guerrero, ahora parece un pobre esclavo enfermo, que solamente cumple órdenes.

*¿Debes ayudar al guardia Skrii enfermo? Pasa a la página 10.*

*¿Debes aprovechar la oportunidad para escapar? Pasa a la página 48.*

# 4

---

A pesar de que el capitán Vorn continúa hablando, apenas puedes oír lo que dice. Estás demasiado ocupado repasando los nuevos conocimientos que llenan tu mente.

Estos conocimientos te aclaran algo. El capitán miente cuando dice que vienen en son de paz. Tus nuevos "recuerdos" te hablan de planetas que han sido atacados y esclavizados.

Actuando como un terrícola joven y amable, sonríes y asientes al escuchar las palabras del capitán. Por último, éste se cansa de hablar. Un robot te guía de regreso a tu celda.

Pero gracias a tu nueva "memoria" sabes cómo funcionan las puertas. Al abrirse la de tu celda, te llevas la mano al bolsillo, sacas un par de monedas y las dejas caer en el quicio de la puerta. El robot no se da cuenta y te deja solo en tu celda.

Tratas de mantenerte en calma, pero tan pronto como la puerta se desliza para cerrarse, te abalanzas sobre ella. ¿Funcionó tu plan?

"¡Por favor, que no se haya cerrado!", susurras mientras empujas con todas tus fuerzas. ¡La puerta se abre!

Sales a un laberinto de pasillos. Pero gracias a tus "recuerdos" recién adquiridos, éstos te parecen conocidos. Escoges un camino seguro hacia el Cuarto de Comunicaciones, que está vacío.

---

*Pasa a la página 5.*

---

Te acercas a un tablero de control, que tu "memoria" identifica como el Mesón Comunicador. Casi sin pensarlo, tus manos se mueven hacia los controles. El tripulante cuyos recuerdos has absorbido participó en la fracasada invasión a ese distante planeta. ¿Cómo se llamaba? Falabb.

Intentas buscar en tu memoria. El tripulante trabajó en un comunicador como éste, interceptando mensajes de Falabb. Esto es muy bueno para ti. . . y para la Tierra también.

Gracias al accidente con la máquina traductora sabes que los Falabb son enemigos de los Vorn. Aún más, los recuerdos que obtuviste en ese accidente te dicen cómo ponerte en contacto con los Falabb. Incluso sabes la frecuencia que utilizan. La localizas y envías un mensaje, un S.O.S. cósmico.

---

Pasa a la página 115.

La criatura se escabulle y tú caminas en dirección opuesta. "Ya he tenido suficiente de esos monstruos Skriis", te dices. "Ahora, vámonos de aquí."

Sin embargo, te quedas en los árboles, por si acaso te encuentras con algún otro Skrii. Por suerte, ya no ves ninguno.

De pronto escuchas un aullido agudo que viene del sitio hacia donde te encaminas. Espías por entre las ramas y ves una manada de coyotes que se han vuelto locos por el miedo. "Probablemente se encontraron con uno de esos Skrii grises cerca del lago", piensas.

La manada se detiene súbitamente, olfateando el aire y gruñendo. De pronto descubres lo que están oliendo: ahí abajo ves al pequeño Skrii blanco; está como paralizado y gira su cabeza hacia la manada. El extraterrestre no parece percibir el peligro. Los coyotes gruñen y se disponen a atacar al extraño indefenso.

*Si decides gritar para advertir a la criatura, pasa a la página 2.*

*Si decides intentar detener a los coyotes, pasa a la página 27.*

# 8

de la página 35

---

Te lanzas hacia el único sitio a cubierto: el domo. Al saltar hacia la entrada, sacas la vara energética que Eeyip te dio. "Por lo menos no estoy indefenso", te dices. "Pero preferiría no estar aquí."

De todo el campo vienen Gu'urs a rodear el domo. Giras el extremo de tu vara y en él aparecen símbolos extraños. Finalmente, ves la versión Gu'ur de DESCARGA. Eeyip te dijo que esto envía una fuerte descarga explosiva. Apuntas hacia afuera y disparas. Un enorme montón de arena se convierte en cristal. No hieres a ninguno de los Gu'urs, pero sí logras que te tengan un poco más de respeto.

"Yo estoy escondido en el domo, y ellos están a descubierto", piensas. "No parecen tener prisa por dispararme. ¿Qué tendrán almacenado aquí?"

Llegan más Gu'urs y les disparas, pero no los hieres; uno de ellos te dispara y te escondes detrás de la puerta.

El tiro no te alcanza, pero, desafortunadamente, la descarga cae en algún explosivo almacenado en el domo. Tú, el domo y la mitad del campamento extraterrestre explotan estruendosamente.

## FIN

**9**

Aunque no quieras admitirlo, el extraterrestre tiene razón. No puedes resistirte a su voluntad. A menos que pienses en algo rápidamente, acabarás hincándote ante él, convertido en un esclavo.

"Usa la cabeza", piensas, tratando de mantener rígidas tus rodillas. "No, no la cabeza. ¡Mejor algo que llevas en ella!" Te quitas el sombrero de pesca, que está cubierto de anzuelos, y lo arrojas a la cara del extraño.

¡Funciona! Cara de corteza se distrae por un momento: tiempo suficiente para saltar y agarrar su casco.

"¡NOOOOOOOO!", grita el extraterrestre cuando le arrancas de la cabeza el casco de control. Tú tiras al suelo el casco, que se rompe en pedazos.

Tan pronto sucede esto, los guardias Skriis comienzan a caminar hacia el que era su amo. "¡NOOOO!", se queja el extraño.

Te gustaría ver en qué termina esta rebelión de esclavos, pero tienes cosas más importantes por hacer, como salir de este manicomio. En este momento, lo que más deseas es aire fresco y sol. Esto será suficiente recompensa por haber salvado a la Tierra de los amos esclavizadores.

## FIN

# 10

"No puedo pasarle por encima sin más", piensas. Te acercas al guardia caído preguntándote cómo podrás ayudarle.

La criatura está agonizando. Pero sus ojos enjoyados te lanzan destellos. Al mirarlos comprendes lo que te dice: "No sientas pena, humano. Para mi clase, la muerte es la única libertad."

Se detiene por un segundo. "Yo y los de mi raza no tenemos salvación. Pronto nos habremos ido. Pero tu raza puede salvarse. Vete ahora. Advierte a tu gente. Hay caminos secretos para huir. . ." Escuchas con cuidado la ruta que te indica la criatura. Después, la voz susurrante se apaga y el valiente Skrii muere.

Mientras rodeas el cuerpo inerte te das cuenta de que el Skrii te ha dicho la verdad. Si se les advierte a tiempo, los habitantes del planeta Tierra pueden vencer a los amos esclavizadores. Lleno de buenas intenciones, te diriges hacia el túnel secreto. Tienes todo un mundo por salvar.

## FIN

**11**

---

Te agachas, y el robot volador sólo te roza el pelo. Vuela zumbando y va a estrellarse contra el tablero principal de la Suprema Inteligencia. Las placas de 73 000 años de antigüedad se resquebrajan y se hacen pedazos, mientras el robot rebota por el suelo, echando chispas.

"Tan sólo has ganado unos instantes de vida, terrícola", dice la Suprema Inteligencia. "Mis robots guerreros te destruirán."

Intentas evitar que tus manos tiemblen. Debe haber alguna manera de detener esta máquina. La cubierta rota del tablero te recuerda algo que leíste alguna vez respecto a las computadoras. . . ¿las computadoras y los qué?

¡Imanes! ¡Arruinan la memoria de las computadoras! De tu bolsillo sacas una gran barra imantada que utilizas para mantener unidos tus anzuelos.

"¿Qué haces?", ruge la Suprema Inteligencia cuando te acercas con rapidez a su cubierta rota. Metes el imán por el agujero. "¡Detente!". La voz se convierte en un chillido. Los robots soldados aparecen bajo el domo.

"¡AAARRRRRRRRRR!", grita la computadora. El domo se oscurece. Los robots caen como títeres a los que les han cortado los hilos. La Suprema Inteligencia se ha borrado. Ya no funcionan sus planes.

Observas el domo silencioso. Después, ríes. "¡No puedo creerlo! ¡He salvado al mundo!"

**FIN**

## 12

---

"¡Llevaré al pequeño al pueblo!", dice un hombre. "Mi coche es el que se encuentra más cerca."

Tus furiosos perseguidores te llevan a un campamento cercano al lago. "¡Sí, acude al jefe de policía, Mort!", rezongan todos. Ahora sí estás asustado.

Sin embargo, cuando Mort llega al campamento su esposa lo está esperando. "¿Qué haces?", le pregunta.

"Voy a llevar a este chico al jefe de policía. El buscapleitos ayudó a escapar al extraterrestre. Al que vimos anoche."

"Al que *tú* viste anoche", dice su mujer.

"Lo que sea. Vamos a la jefatura de policía". Mort te empuja hacia el coche; en ese momento aparecen cuatro brillantes naves espaciales en el cielo. Todos se quedan estupefactos al oír una voz que penetra sus mentes.

*¡Dejen ir a ese joven ser!* Sólo tú sabes que se trata del comandante Skrii.

"¿Quién dice?", grita Mort.

Una descarga de energía cae sobre el automóvil, que se derrite como una barra de chocolate bajo los rayos del sol. Mort y su familia corren despavoridos para salvarse.

*Yo lo digo*, responde el comandante Skrii. *Y estaré vigilando para asegurarme de que mi amigo esté a salvo.* Aterrorizado, Mort no tiene más remedio que dejarte ir.

*Adiós*, susurra en tu mente el comandante. *Y gracias de nuevo.*

## FIN

---

Te escondes tras los arbustos, esperando no ser visto. Pero tienes mala suerte. El camión retrocede hasta llegar justo junto a ti. De él sale un hombre con un rompevientos color naranja.

"¡Creí ver un sombrero de pesca entre las hojas!", dice. "Regresé sólo para ver si estás bien." El niño extraterrestre que se encuentra en tus brazos se agita. Los ojos del cazador se abren desmesuradamente. "¿Qué. . .?"

Le explicas todo al cazador, que se llama Burt May. "Tendrás que caminar mucho hasta encontrar un médico", te dice. "¡Te llevaré!" Suben al camión y arrancan.

Con los exámenes del médico y las imágenes que envía el extraterrestre, averiguan cuál es el problema. "Monóxido de carbono", dice el médico. "Para nosotros es un contaminante peligroso. Pero estos extraterrestres lo necesitan para respirar."

Un rato junto al escape del camión revive al extraterrestre. Pronto, éste te envía nuevas imágenes, imágenes de su familia.

Tú y Burt llevan al niño de regreso al bosque, donde son recibidos por extraterrestres adultos. Uno de ellos estrecha en sus brazos al niño. Se sienten agradecidos hacia ustedes. Después, en los ojos del extraterrestre adulto ves imágenes de su campamento junto al lago. Los extraños se están asfixiando, sus máquinas estallan. Abordan un platillo volador, que se eleva en el aire.

"Se van, ¿eh?", les dices. "Supongo que nuestro aire no fue adecuado para ustedes."

Los extraños asienten. Minutos más tarde, lo que viste se convierte en realidad. El platillo volador se aleja de la Tierra para llevar al grupo a otro planeta.

**FIN**

Una luz nebulosa hiere tus ojos. Te incorporas lentamente y ves que te encuentras en un laboratorio.

Varios extraterrestres rojos y peludos trabajan a tu alrededor: colocan muestras en computadoras, examinan listas, toman medidas y apuntan. Todos visten batas limpias. Cuando te mueves, sus oscuros ojos azules te observan cuidadosamente.

Los científicos extraterrestres —pues seguramente eso son— te hacen levantar de la plancha donde te examinaron. Te incorporas tembloroso y ellos te llevan a una silla en la cual te permiten sentarte. Los científicos te miran con atención, todos menos una. Ella mira la silla. No, te das cuenta de que no es precisamente la silla lo que mira, sino algo que va hacia la silla: un cable.

"¡Un momento!", dices. "¡No voy a sentarme en una silla eléctrica!" Te levantas de un salto.

*Pasa a la página 26.*

# 16

No puedes abandonar a alguien que se encuentra en peligro, ni siquiera a un extraterrestre. Afortunadamente para ti, los robots también se han dado la vuelta para acudir con rapidez al sitio del accidente. Se apresuran a levantar los restos destrozados de la máquina, pero no tocan el carro, ni al extraterrestre que se encuentra adentro. ¡Sólo están limpiando!

"Estos robots deben estar programados para limpiar, no para ayudar", te dices. "Apuesto a que no saben qué hacer." Después de recoger todo, los robots se detienen y se quedan pasivos. El chofer se queja.

Te abres paso entre los robots para ver los vidrios rotos y el acero retorcido del vehículo. Adentro se encuentra una persona pequeña. . . ¡un niño extraterrestre!

Te introduces en el coche destrozado y sacas al pequeño. Inmediatamente, los robots entran en acción, y retiran los restos del choque. Pero no se meten contigo.

El niño es delgado y pequeño. Parece que nunca ha comido bien en su vida. Al moverlo hace una mueca de dolor y se queja suavemente.

Vestido con un traje plateado, el pequeño está pálido como una hoja de papel. No tiene pelo y parece que tampoco tiene orejas. Pero tiene unos hermosos ojos oscuros y brillantes. Hay algo poco común en esos ojos. . .

*Pasa a la página 17.*

De pronto, por tu mente comienzan a desfilar imágenes confusas. Vas volando. Estás sentado en algo muy acojinado y estás mirando una pantalla; lo que ves son estrellas. ¡Estás en el espacio! Parpadeas agitando la cabeza.

Éstos no son recuerdos tuyos. ¡De alguna manera, estás leyendo la mente del chico extraterrestre!

Aparecen más imágenes. Ves el mundo del extraterrestre. Todo es gris. El suelo parece ceniza. Todos los edificios están cayéndose. No ves pasto ni árboles por ningún lado.

"¿Es el mundo que dejaste?", le preguntas. "Puedo ver por qué. . ." Te interrumpe una tremenda explosión. Otra nave extraterrestre ha explotado.

Cerca de ahí ves un conjunto de domos bajos. Quizá en ese lugar puedas encontrar ayuda. Otra explosión sacude el área. Quizá sería más seguro llevar al niño a un médico terrícola.

*¿Llevarás al niño extraterrestre a los domos? Pasa a la página 22.*

*¿Tratarás de obtener ayuda terrícola? Pasa a la página 49.*

# 18

de la página 91

"Tratemos de engañarlo", dices. Momentos después, subes el cerro cargando una mochila que uno de los hombres te ha prestado.

No has avanzado mucho cuando escuchas la voz de Fred Samuels que gruñe, "¿Qué haces aquí, muchacho?"

"Voy de excursión", contestas, tratando de aparentar calma. "Quería ver el paisaje desde la torre. Lo siento, no pensé que habría alguien aquí."

Después de dudar un momento, Fred te dice, "Bueno, sube".

Tenso, comienzas a subir los escalones. La señal para atacar es tu llegada a la plataforma superior.

Al llegar al último tramo de escalones, Samuels dice, "Sabes, esa mochila naranja me parecía familiar. Ahora que veo en ella las iniciales de Willie Smith, ya estoy seguro." Te apunta con su vara energética.

Nunca sabrás en qué acabará todo esto. Un destello luminoso y un ¡ZZZZZZZTTT! representan el. . .

## FIN

"La única forma de sobrevivir es obedecer al señor Hermoso", te dices. Recoges una mochila y demuestras para qué sirve. Dentro encuentras una radio. Explicas que esos aparatos no funcionan en un sitio tan alejado de la superficie. También encuentras comida enlatada, pero antes de que puedas tomarla un Skrii se apodera de la lata y la deshace con sus tenazas. Sin embargo, el Skrii decide que no le gusta la sopa fría.

Después encuentras en la mochila un silbato ultrasónico. De ésos que se usan para llamar a los perros y cuyo sonido no percibe el oído humano.

Te detienes un instante. "¿Cómo explicar esto?", te preguntas.

*¿Qué es ese aparato, humano?*, pregunta el Cerebro.

"Es. . . bueno, se utiliza para llamar animales", contestas.

*¿Cómo?*

Te llevas el silbato a los labios y emites un silbido que tú no oyes.

Te quedas atónito al descubrir que el Cerebro y todas las criaturas del Enjambre empiezan a temblar.

*Pasa a la página 93.*

Un robot llega a tu celda y te lleva a una habitación llena de extraterrestres con armaduras grises, que se encuentran sentados ante un tablero de control.

Te colocan una banda metálica en la cabeza. Un extraterrestre de armadura roja lleva una banda idéntica. "Éste es el traductor", dice el extraterrestre. "¿Comprendes?"

Tú afirmas con la cabeza y él prosigue. "Te encuentras en una nave espacial de la raza Vorn. Yo soy el capitán."

"Es una suerte que el viejo tonto no se haya quemado los sesos con este traductor tan malo", susurra otra voz. Miras al miembro de la tripulación que opera la máquina traductora. Entonces, comprendes: además de los del capitán, escuchas los pensamientos del tripulante.

Aparentemente, el capitán no se da cuenta. "Los Vorn venimos en son de paz", te dice.

El tripulante ríe discretamente. "Igual que cuando llegamos a Falabb. Pero ellos acabaron con nuestra flota invasora."

Las palabras del capitán se desvanecen cuando la máquina traductora comienza a echar chispas. Algo anda mal. De pronto te das cuenta de que entiendes lo que dicen todos los miembros de la tripulación. Incluso conoces sus nombres y los trabajos que hacen.

"Uau", piensas. "Esa máquina loca hizo algo más que traducir las palabras del capitán. De alguna manera me transmitió todo un conjunto de recuerdos ajenos."

*¿Debes usar tus nuevos conocimientos para entrar en contacto con los enemigos de estos extraterrestres? Pasa a la página 4.*

*¿O debes intentar encontrar la manera de salir de la nave espacial? Pasa a la página 44.*

# 22

"Seguramente tu gente sabrá cómo cuidar de ti", dices, corriendo hacia los domos. Otra pieza del equipo estalla súbitamente. Tembloroso, llegas a la entrada. En ella se encuentran ejemplares adultos del mismo aspecto que el pequeño extraterrestre, que te abren la pesada puerta metálica.

Los extraterrestres adultos se reúnen para darte la bienvenida, apuntando con emoción hacia ti y hacia el niño. Entonces, a través de complicados pasillos, te llevan al hospital extraterrestre.

Un extraterrestre de piel arrugada toma al niño y lo coloca en una plancha de mármol. ¿Será una mesa de operaciones?

El mismo extraterrestre te señala otra plancha. Tú subes a ella y te acuestas boca arriba. La plancha está fría. Sientes una punzada en la espalda. Es como si cientos de pequeñas agujas salieran de la plancha y te picaran. Saltas. ¡Cientos de finísimos cables conectan tu cuerpo con la plancha de piedra! Pero el extraterrestre arrugado te empuja suavemente hacia abajo. ¿Será ésta una especie de transfusión para ayudar al niño extraterrestre?

Si aceptas ayudar al pequeño extraterrestre, pasa a la página 66.

Si deseas escapar de esta habitación, pasa a la página 80.

"¿Qué es esa cosa horrible?", pregunta el capitán. Sus ojos como de serpiente se vuelven tan solo unas pequeñas ranuras.

"¿Esto?", preguntas agitando el encendedor hacia el aterrorizado capitán. "Es un dispositivo para protección personal. Todos los seres humanos llevamos uno."

"¿Todos?" El horror del capitán es transmitido incluso por la máquina traductora. Se arranca la banda de la cabeza y empieza a conferenciar con los demás.

"Hasta aquí", te dices. "Llegó la hora."

El capitán, con manos temblorosas, se coloca de nuevo el aparato de traducción sobre la cabeza. "Terrícola, te regresaremos a ti y a tu horrible dispositivo a tu planeta. No deseamos tener nada qué ver con un mundo que inventa armas tan salvajes."

La tripulación hace aterrizar a la nave y, en seguida, te despiden sin miramientos lanzándote por una rampa que te lleva de la compuerta de la nave espacial al suelo, a la Tierra.

Miras hacia arriba, intentando disimular una sonrisa al ver que la nave se aleja deprisa. Quizá acabas de dar a tu planeta la peor reputación de la galaxia, ¡pero, ciertamente, lograste que esos extraterrestres se arrepintieran de invadirlo!

# FIN

---

No sabes por qué, pero sientes que debes vigilar a esta criatura. Te abres paso entre las ramas y sigues al pequeño Skrii blanco.

La explosión de un rifle rompe el silencio. Las balas arrancan las hojas del árbol en que te encontrabas hace un momento.

Una voz humana te llega de atrás. "Robbins, ¿qué diablos haces?"

Una vez nerviosa contesta, "¡oí que algo se movía en los árboles! ¡Allá arriba!"

"Deja de actuar como un tonto, Robbins", dice otra voz. "Un bicho como esa cosa blanca no es capaz de subirse a un árbol."

Varias risotadas simultáneas ahogan las maldiciones de Robbins. Calculas que debe de haber una docena de hombres en el grupo. Se acercan. Pronto podrás verlos.

---

*¿Debes vigilar a esos cazadores? Pasa a la página 71.*

*¿Debes intentar alcanzar al Skrii blanco? Pasa a la página 64.*

# 26

De pronto, las manos amistosas que te sostienen se convierten en tenazas de acero. Tratas de liberar tus brazos, pero no puedes moverte.

Los científicos te empujan hacia adelante. Te guste o no, vas a sentarte en esa silla conectada al cable. "¡Suéltenme!" Te retuerces e incluso aciertas a darle una patada a uno de tus captores.

Se te acercan más científicos peludos. Entre ellos se encuentra la mujer que te avisó en silencio. Salta para agarrarte y, súbitamente, sale disparada hacia atrás. ¿Por qué? Tú sabes que *no* la tocaste, pero ella actuó como si la hubieras pateado.

La extraterrestre tropieza contra los científicos que se acercan y los tira al suelo. Se enreda con las piernas de uno que te tiene sujeto. Éste lanza una exclamación de sorpresa y cae al suelo. Te suelta. Ahora tienes un brazo libre.

Te sueltas del otro científico y logras salir por entre el enjambre de brazos y piernas. Ante ti brilla una de las varas de energía extraterrestre. Has visto cómo se utilizan para levantar vigas e incluso para dejarte inconsciente. Más allá de la brillante arma, una puerta abierta representa la libertad.

*¿Debes agarrar la vara? Pasa a la página 78.*

*¿Debes correr hacia la puerta? Pasa a la página 111.*

de la página 6

---

"¡Yo estoy a salvo aquí, pero ese Skrii no lo está!"
Arrancas una rama de buen tamaño y la partes en dos.
Luego la lanzas con todas tus fuerzas y alcanzas a golpear
a uno de los coyotes. Se oye un aullido de queja y el coyote
se aleja corriendo por donde vino.

"Uno menos", dices, y rápidamente agarras otra rama.
Pero, en tu emoción, te inclinas demasiado. Tu mano
resbala. Las hojas te golpean en la cara mientras intentas
aferrarte frenéticamente a alguna otra rama. Demasiado
tarde. Ha llegado el. . .

## FIN

"No voy a quedarme aquí", te dices. Pero no puedes salir. Los Vorn bloquean la salida. Revisas desesperadamente toda la habitación. Descubres un ducto de aire junto a la pantalla, es justo de tu tamaño. Te introduces en él en el mismo instante en que los Vorn entran violentamente. Con el corazón en la boca, te alejas a gatas.

Los ductos de aire están húmedos y sucios, pero no hay nadie más que tú allí dentro. Calculas que te has arrastrado más de un kilómetro, cuando encuentras la reja de una ventana. "Me asomaré", decides. Las naves-flecha Falabb parecen estar en formación defensiva.

"¡Vamos! ¡Ataquen!", quieres gritarles. Un ataque masivo puede destruir la nave en la que tú te encuentras, pero salvará a la Tierra.

En vez de disparar, las naves Falabb avanzan en formación. Cambian su curso. . . ¡hacia la Tierra! De ellas salen cientos de mísiles que chocan con la atmósfera terrestre despidiendo luces cegadoras.

Tu inteligente plan fracasó. Los Falabb recibieron tu mensaje, es cierto, pero no lo comprendieron. Pensaron que les estabas advirtiendo que los Vorn habían formado una nueva colonia en la Tierra. Ahora, acaban de convertir a tu planeta en polvo cósmico. En todo el universo, tú eres la única persona que sabe que, alguna vez, ese planeta se llamó Tierra.

# FIN

# 30

Después de que el jefe de policía escucha tu historia, hace varias llamadas. Una de ellas hace venir al médico; las demás, a una docena de hombres. Observas cómo el jefe de policía abre el armario donde se encuentran las armas y empieza a repartir escopetas.

"Levanten la mano derecha, muchachos. Voy a tomarles juramento como alguaciles", dice.

"¿Alguaciles?", preguntas.

"Tenemos que verificar tu historia. Parece que habrá problemas, graves problemas." El jefe de policía toma el juramento de los alguaciles, y todos se encaminan al lago.

Momentos después oyes explosiones provenientes del parque. Corres al exterior y ves una brillante nave espacial que atraviesa el cielo. "¡Un platillo volador!"

Eso es todo lo que puedes decir, no tienes tiempo para más. Un brillante rayo de luz se desprende del platillo hacia el pueblo. Todo se ilumina con una brillantez cegadora. ¿Un rayo láser? ¿Un rayo mortal? No importa. Tú y el pueblo entero desaparecen.

**FIN**

Rápidamente te pones el traje, que está diseñado especialmente para la complexión redonda de los Falabb. En ti parece un globo vacío, pero los Marinos Espaciales te aseguran que funciona a la perfección.

Corres con los Marinos hacia sus naves de asalto. Pronto te encuentras a salvo en el espacio. La nave espacial que dejaron atrás explota sin ruido.

"Hemos destruido a la flota enemiga y a la colonia robot Vorn que estaba en tu planeta", te dice el líder de los Marinos. "Ahora te llevaremos de regreso a tu casa. Eres el único que sabrá de la batalla librada para salvar a la Tierra."

Y así quieres que quede todo. De todas formas, ¿quién creería una historia tan extraña?

# FIN

# 32

---

Te volteas para correr y alejarte del puma, pero te encuentras con el extraterrestre peludo. Aterrorizado, caes sobre tus rodillas.

Movimiento afortunado: el puma salta, no puede alcanzarte, y cae en los brazos del extraterrestre. Éste lanza al sorprendido animal hasta el bosque, a unos seis metros de distancia. El puma se aleja tambaleante, estupefacto.

El extraterrestre lleva todo un tablero de controles en su pecho. Ahora toca una caja pequeña. "¿Me entiendes?", te dice una voz electrónica que sale de la cajita.

"Ss-sí", contestas.

"Muy bien. Yo soy Hool", dice el extraterrestre. "Mi pueblo se llama Arfa. Venimos en son de paz para estudiar a tu mundo. Algunos de los tuyos nos están ayudando. Ven y verás." Lo sigues.

Al llegar al campamento, se les acercan apresuradamente algunos seres humanos. "¡Hool!", grita uno de ellos. "¡Fred Samuels se escapó con una vara energética! ¡No sabemos qué se propone!"

El hombre se dirige a ti. "¡Vamos! Los Arfa confiaron en nosotros y nos entregaron esas varas. Es deber de nosotros, los seres humanos, detener a Fred antes de que cometa alguna tontería."

Dos extraterrestres se unen a Hool, quien dice, "Nosotros buscaremos también. Si lo deseas, puedes acompañarnos."

---

*Si quieres ir con los humanos, pasa a la página 91.*

*Si deseas ir con los extraterrestres, pasa a la página 108.*

# 34

¿Y si Fred Samuels dice la verdad? En las manos tienes la vara, lista para privar del conocimiento a cualquiera. Lanzas tres descargas que hacen que Hool y sus compañeros caigan al suelo. Tienes treinta minutos antes de que recobren el conocimiento.

Te acercas a Samuels con tu vara lista. "Veamos esas pruebas", le exiges.

Saca con cuidado una de las cajas parlantes. Y sí, habla de planes terribles: "Los desechos nucleares serán lanzados sobre las ciudades más importantes", dice una voz grabada. "Se contaminarán todas las provisiones. A las poblaciones restantes se las azotará con una epidemia provocada. El estudio de las reacciones de los nativos nos mostrará cómo solucionar el desastre en Clov."

"¿Ves?", te dice Samuels. "Tuvieron un desastre en uno de sus planetas, Clov. Quieren practicar con el nuestro para limpiar el suyo."

Por un segundo, permaneces en silencio. Después cambias el interruptor de tu vara a ELEVACIÓN. En un instante, el árbol se levanta y libera a Samuels.

"Vamos", le dices. "Tenemos que llevar esta caja al gobierno. Con ella y estas varas, tendrán que creernos." Tú y Fred se alistan para advertir al mundo.

## FIN

"Probablemente ya hayan encontrado mi bote", dices. "Quizá será mejor que intente escaparme por los cerros."

"Buena elección", dice Eeyip. "En esa área no están construyendo nada. Seguramente te será fácil escapar." Te guía por muchos corredores vacíos, hasta llegar a una salida fuera de servicio. "Entre esta puerta y los cerros sólo se encuentran dos domos de almacenamiento. Que Roo te acompañe."

Aparentemente, Roo no te acompaña. Tan pronto das un paso al exterior, uno de los vigías Gu'ur te descubre. Mientras el guardia extraterrestre da la alarma, volteas hacia el domo del que acabas de salir. Ya está cerrado. "¡Caracoles!", murmuras. "Y ahora, ¿qué?"

Delante de ti está uno de los domos de almacenamiento. La entrada está abierta. Más allá se encuentra la falda de una colina muy alta.

*Si te lanzas hacia el domo, pasa a la página 8.*

*Si corres hacia la colina, pasa a la página 50.*

# 36

de la página 80

Observas cómo el extraterrestre hace funcionar el rayo azul. Utiliza un par de palancas parecidas a las de los juegos de video.

Reuniendo todo tu valor, saltas sobre el extraterrestre. La pelea es corta. Lo atas y tomas los controles. En la pantalla, tu bote todavía flota en el aire. Lo haces chocar violentamente contra un robot. Entonces, diriges el rayo azul a un mástil flotante y lo destruyes.

En el pasillo, fuera de la habitación, oyes ruidos de derrumbes y pies que corren. Sigues destruyendo todo lo que encuentras en la pantalla.

Como gran final, utilizas el rayo para destruir la parte superior de un domo. Tienes éxito, pero sientes que las palancas se están calentando. ¿Irá a estallar esta máquina también? Decides irte.

Sin embargo, cuando abres la puerta, el pasillo está lleno de extraterrestres. Parecen enloquecidos. Las imágenes se agolpan en tu mente. Te ves en el mundo de los extraterrestres, atado a varios de ellos. Todos se alimentan de tu energía. ¡Vampiros espaciales!

Caes al piso lleno de horror. Antes de que los vampiros te alcancen, la máquina de rayos explota. Durante unos instantes el parque Kinnicot está envuelto en explosiones y muros que se derrumban.

La explosión te lanza hasta una grieta en la pared del domo. Sales. Parece que todo el campamento extraterrestre estalla. Corres hacia el bosque, agradecido porque has podido permanecer vivo.

## FIN

---

Los robots te rodean, pero no esperas a que te capturen. Agarras a uno que se mueve lentamente y te cuelgas de él. Sus brazos metálicos no tienen tiempo de atraparte, pues ya te has encaramado sobre su cabeza.

Ahora te encuentras fuera del círculo de robots. Corres lo más rápidamente que puedes. Los robots te persiguen, pero les llevas una buena ventaja.

Casi has llegado a la seguridad del bosque, cuando escuchas un fuerte silbido que te hace voltear hacia atrás. ¡La antena flotante y todo el equipo que sostiene caen! Se estrellan contra el suelo, justo encima de un vehículo terrestre que circula flotando.

No hay tiempo qué perder. ¡Tienes que salir de aquí! ¡Los robots se están acercando! Pero del carro destruido sale un quejido. Dudas que sea un ruido emitido por uno de los robots.

---

*Si deseas escapar de los robots, pasa a la página 104.*

*Si deseas retroceder y ayudar al chofer herido en el accidente, pasa a la página 16.*

Sales corriendo de entre los arbustos y avanzas por la carretera. Con un poco de suerte, habrás dado vuelta a la curva antes de que el camión regrese.

Pero no tienes suerte. El camión aparece y no hay ningún sitio donde puedas esconderte. El camión se detiene y sus puertas se abren repentinamente.

Los dos tripulantes no son cazadores, son extraterrestres vestidos con trajes plateados y cascos de cristal. Parecen versiones más grandes del pequeño niño que llevas en brazos. Y a pesar de sus extrañas caras, puedes darte cuenta de que están enojados.

"No lo estaba secuestrando ni nada parecido", tratas de explicar. Los extraterrestres te apuntan con armas de cristal. De una de ellas sale un rayo.

Cuando recobras el conocimiento, te encuentras solo a un lado de la carretera. Debes haber permanecido ahí mucho rato, pues te han caído encima algunas hojas.

La carretera se encuentra vacía y silenciosa. ¿Fue un sueño? Algo te roza la mano; enganchado en la hebilla de tu cinturón hay un pedazo de tela plateada. De alguna manera, sabes que el niño extraterrestre se encuentra bien. Y algo te dice que eso es lo último que sabrás de los extraterrestres.

**FIN**

# 40

de la página 75 / de la página 114

Tu acompañante te toma del brazo y te aleja de la destrucción. "¡Por acá, rápido!"

Ambos se tambalean a lo largo del túnel. De pronto te das cuenta de que a cierta distancia se ve un rayo de luz. ¡Es la luz del sol!

Súbitamente, tus músculos adquieren nueva fuerza. Te abalanzas hacia la salida. Ves otras figuras recortadas contra la luz. Son seres humanos que también escapan, y justo a tiempo pues, al salir, el túnel se derrumba sobre sí mismo.

Toda la colina que esconde el nido se hunde y se disuelve en el terreno. Sale lodo a borbotones. "El agua del lago debe de haber llenado todos los túneles inferiores", dice feliz tu acompañante. "Esos insectos deben de haberse quedado enterrados."

"Y su invasión ha quedado enterrada también", dice otra persona. "Ahora, regresemos a la civilización." Se alejan todos, dejando atrás la destrucción.

# FIN

**41**

de la página 90

---

"Creo que probaré el lado derecho", decides.

"Acabo de venir de allá arriba", te contesta la muchacha. "Encontrarás mucha comida." Ella corre por otro túnel.

Pero no es comida lo que tú quieres, sino encontrar una manera de salir de aquí. Andas a gatas por el pasaje, y vigilas si viene algún guardia. El túnel se convierte en una amplia galería con hoyos en el piso. Quizá los huecos sirvan para almacenar comida.

Tú estás más interesado en encontrar la continuación del túnel. Hasta entonces no te das cuenta, pero el túnel *no* continúa. El cuarto de almacenamiento tiene sólo una entrada, o salida.

Esto se hace aún más importante cuando ves que un guerrero Skrii bloquea la salida. Parece que el Skrii está dispuesto a atrapar a quienquiera que haya estado robando su comida.

"¡Qué mala suerte! Me culparán por algo que no he hecho", piensas. Y éstos son tus últimos pensamientos porque, para ti, ha llegado el. . .

**FIN**

# 42

"Pero, ¿matará esta epidemia a *todos* los Skriis?", te preguntas. "¿Me afectará a mí? Será mejor encontrar la manera de salir de aquí."

Quizá deberías haber pensado menos y escuchado más. Algo te golpea en el hombro. Son las fuertes mandíbulas de un guerrero Skrii, el caparazón de éste es de un gris brillante.

Sin embargo, el guerrero no ataca. Te conduce a través de varios túneles. Al cabo de un rato las luces se hacen más brillantes y observas por el camino piezas de maquinaria; son las primeras que has visto en este nido. Entras a una habitación grande. En ella se encuentra un ser humano.

No, no es humano, aunque a primera vista parece normal. Esta criatura es más alta y más delgada, y su piel parece corteza de árbol. Está vestido con un traje tornasolado. En la cabeza lleva un elaborado casco de cristal.

"Bienvenido, humano", dice el extraterrestre. "Hablo bien tu idioma, como puedes oír."

"¿Estás prisionero también?", le preguntas.

El extraterrestre emite un sonido raro. ¡Está riendo! "No, yo soy el amo. Todos ellos son mis esclavos. Pero una epidemia los está matando. Por eso he venido a este planeta; necesito más esclavos, y tú eres el primero que atrapo."

*¿Debes aparentar que aceptas esta indignante manifestación? Pasa a la página 3.*

*¿Debes desafiar al extraterrestre? Pasa a la página 82.*

Te diriges a la orilla, pero, al hacerlo, súbitamente aparece otra antena. Un rayo de color azul pálido sale de la antena justo hacia tu bote. De pronto, te sientes arrastrado hacia la orilla. Tu bote corta el agua y pasa zumbando hasta la playa.

El violento viaje termina con una sacudida, cuando el bote golpea la arena. Estás contento porque no estás herido. Pero cuando ves a tu comité de recepción se te seca la boca.

No son personas, a menos que ahora se esté haciendo gente de metal. Frente a ti se encuentra una docena de robots. Algunos tienen bandas de rodamiento, y otros, piernas. Otros más se apoyan en tijeretas metálicas, mientras otro robot flota en el aire.

Permaneces en el bote mientras los robots comienzan a rodearte. ¿Qué harás ahora?

Si deseas convencer a los robots de que eres una persona amigable, pasa a la página 60.

Si deseas escapar corriendo, pasa a la página 37.

**de la página 21**

---

El capitán Vorn continúa hablando y tú te sientes cada vez más mareado. Esto te recuerda el día en que la Sra. Harris realizó la práctica de respiración profunda en la clase de ciencias de la salud. En aquella ocasión te mareaste. ¿Cómo le llaman a eso? ¿Hiperventilación? Significa que hay demasiado oxígeno en nuestro sistema.

Eso te pone a pensar. Quizá esta atmósfera extraterrestre tenga más oxígeno que la de la Tierra. ¿Qué puede significar esto? En forma discreta te llevas la mano al bolsillo, en el cual tienes un encendedor de campamento.

Cuando lo sacas, el Vorn no parece impresionarse en absoluto. Pero cuando lo haces funcionar, sale silbando una flama de un metro de largo. ¡Tenías razón! El fuego necesita oxígeno para arder. Cuanto más oxígeno haya, mayor será el fuego.

Los extraterrestres gritan de terror al ver la flama. Te das cuenta de que el fuego debe ser un gran peligro en su mundo. Tanto el capitán, como su equipo y los guardias están aterrados.

---

*Si aprovechas la confusión para escapar, pasa a la página 81.*

*Si decides utilizar el miedo de los extraterrestres al fuego para salir libre, pasa a la página 24.*

# 46

Te das cuenta de que estos Vorn son diferentes del malvado capitán de la nave. Puedes razonar con ellos.

"Escapé de la estación de lanzamiento y los guardias me buscan", explicas. "Si ven a un grupo desfilar hacia las naves, simplemente se pondrán a disparar. En cambio unos cuantos podemos entrar a escondidas y hacer algo que los distraiga. . ."

"¡Mientras nosotros nos apoderamos de una nave espacial!", grita la multitud.

Unos momentos más tarde entras sigilosamente a la estación de lanzamiento con seis rebeldes que te apoyan. Hay soldados Vorn por todas partes. Tú y tus compañeros se las arreglan para llegar a las naves espaciales. Pero andando a gatas por los pasillos que quedan entre las naves, de pronto, ¡se enfrentan a una patrulla!

"¡Corran!", gritas. Tirándote del brazo, un joven Vorn rebelde te lleva hacia una pequeña construcción.

"¿Qué es este lugar?", le preguntas.

"Una estación de combustible para cohetes antiguos", contesta el rebelde, señalando una serie de tubos.

"Combustible para cohetes", dices mientras una idea cruza por tu mente. "Prepárate para correr", dices al Vorn mientras manipulas algunos de los controles. De los tubos empieza a salir el espeso combustible. Sacas tu encendedor. Tan pronto te encuentras a una distancia segura del charco de combustible, empiezas a hacer chispas.

¡VRUUUUUUMPPTPTOTF! El combustible se enciende.

Pasa a la página 47.

---

"Eso seguramente distraerá a los guardias", dices, alejándote aprisa junto con el joven Vorn.

Tu suposición resulta acertada. Los guardias llegan corriendo, atraídos por el rugido de las llamas. Sus armas apuntan hacia ustedes. ¡No hay forma de salir de ésta!

Pero son los soldados quienes caen. Tras de ellos surge el grupo de rebeldes. ¡Han logrado entrar en la estación! En unos cuantos minutos se han apoderado de una nave espacial. "¡Vamos!", dice tu joven amigo Vorn. "Estarán elevándose en un minuto. ¡No querrás quedarte aquí!"

Te sientes seguro a bordo cuando los rebeldes abandonan su planeta. Incluso te dan un aventón de regreso a la Tierra.

"Tienes un mundo hermoso. Ahora comprendo por qué otros lo desean", dice tu amigo. Mientras él habla, la nave se acerca a la superficie para evaporar la colonia secreta de robots Vorn en el parque Kinnicot.

"Tu planeta ya está a salvo. Los invasores no se atreverán a regresar." El joven Vorn se vuelve hacia ti. "Buena suerte, amigo."

"Y buena suerte para ti", le dices. "Espero que encuentren un mundo adecuado para colonizarlo."

"Uno que podamos colonizar pacíficamente", contesta con una sonrisa sincera.

## FIN

# 48

de la página 3

---

Saltas por encima del cuerpo del guardia caído. Ni siquiera se mueve. Corres por el túnel hasta que encuentras frente a ti lo que parece una pared de luz. "Bueno, no creo que la luz pueda hacer mucho por detenerme", piensas y sigues corriendo.

Pero, al atravesar la luz, encuentras resistencia. Es como si el aire se hubiera convertido en gelatina. Tu marcha se hace más lenta, e intentas empujar para poder seguir. ¡Pero no puedes! Horrorizado, descubres que no puedes mover los brazos ni las piernas. Incluso tus ojos parecen estar congelados, y miran sólo hacia el frente.

El extraterrestre con cara de corteza aparece detrás de ti. "Sospeché que intentarías hacer alguna tontería", dice. "Por eso apoyé al guardia con un campo de estancamiento. Eso es lo que te tiene atrapado."

El extraterrestre se voltea hacia sus esclavos. "Desconecten el campo de estancamiento. El humano no puede moverse. Llévenlo a la nave y conecten de nuevo el campo de estancamiento hasta que hayamos llegado a casa. Tendré que realizar algunos exámenes críticos en esta muestra."

Los esclavos Skrii llevan tu cuerpo inerte a una nave espacial escondida. Pronto irás a donde ningún hombre ha ido antes, aunque tú no desees hacer este viaje hacia el

# FIN

"Será mejor que te lleve a un doctor terrícola", dices al pequeño extraterrestre. Mientras hablas, uno de los domos estalla convirtiéndose en una enorme bola de fuego verde.

Te internas en el bosque. A un poco más de un kilómetro, una carretera importante atraviesa el parque. Estás seguro de que ahí encontrarás ayuda.

No es fácil cargar al pequeño extraterrestre. Antes de avanzar un kilómetro empiezas a jadear.

Entonces te das cuenta de que el niño también jadea. Lo miras a los ojos. De nuevo, atraviesan imágenes por tu mente. Tienes una visión del pequeño bajo un globo gris: su planeta, piensas. El extraterrestre sonríe.

Entonces, ves al niño parado bajo un globo que representa la Tierra. El niño jadea.

"¿No puedes respirar nuestro aire?", preguntas. "Ojalá me hubieras dicho eso antes. Tendremos que llegar a esa carretera lo más pronto posible."

Por fin llegan a la carretera. Tienen suerte, pues se acerca un automóvil.

Una imagen nueva se forma en tu mente con insistencia. Te ves a ti mismo, con el pequeño extraterrestre en los brazos, y saltando para esconderte tras de unos arbustos.

*¿Debes seguir el consejo del extraterrestre y esconderte? Pasa a la página 92.*

*¿Debes hacer señas al coche? Pasa a la página 72.*

# 50

"No puedo dejar que me atrapen", dices, y corres hacia el cerro. Conforme asciendes, se escuchan gongs y alarmas. Miras hacia atrás.

Es una suerte que te hayas detenido. Un rayo de luz te pasa zumbando. El rayo no te da, pero sí hace un enorme agujero en la ladera del cerro por la que ascendías.

Escalas desesperadamente mientras grandes descargas te pasan rozando. Avanzas en zig-zag para evitar los rayos de energía. Por fin, llegas a la cima del cerro.

El fuego Gu'ur se intensifica tratando de alcanzarte. Toda la colina comienza a temblar. Te lanzas hacia la cima. Se están abriendo grietas en la roca. ¡Tienes que ponerte a salvo!

Al alejarte corriendo de la ladera agrietada sientes que la roca cede. A tus pies se abre una hendidura de más de un metro de ancho. Te detienes en seco. La hendidura se amplía medio metro más. Respiras profundamente y saltas al otro lado.

Cuando aterrizas en el lado seguro de la roca, todo el cerro se derrumba. La tierra se desploma enterrando la base Gu'ur. Esperando que Eeyip haya podido escapar y esté a salvo, permaneces quieto donde estás. Todavía tienes la vara-arma, la única prueba que te queda de tu extraña aventura.

# FIN

# 52

"Me uniré a los demás", dices. Pero conforme te llevan al Agujero, te preguntas si tu elección fue la correcta. Los prisioneros están acorralados en una serie de túneles muy por debajo de la superficie. Las paredes son húmedas. Te preguntas si te encuentras bajo el lago.

Tus guardias no te dicen nada. Solamente te empujan hacia el interior de un cuarto que se encuentra lleno de seres humanos.

"Otro ser humano con suerte", dice un hombre de espesa barba roja. "Soy Charlie Conklin. ¿Estás bien?"

Le contestas que no estás herido.

"Bien", dice con una sonrisa. "Ahora, ¿podrías vaciar tus bolsillos?"

"¿Qué?", preguntas.

"Mira, necesitamos ver si traes algo que pueda servirnos", dice Conklin. "De alguna manera tenemos que detener a estos insectos antes de que se apoderen de la Tierra. No ha sido fácil, pero estamos construyendo una bomba."

"¿Con qué?", preguntas.

"Con lo que traemos en nuestros bolsillos", dice Conklin. "Los insectos nunca se molestaron en registrarnos. Los miembros del Enjambre no tienen pertenencias personales y sospecho que no comprenden que nosotros sí las tenemos. El caso es que, con algunas linternas de gas butano y keroseno, casi lo hemos logrado. Quizá tú puedas ayudarnos."

*Pasa a la página 114.*

"Corre", dices al Skrii. "Trataré de quitarte a esta gente de encima."

Mientras el comandante Skrii se aleja discretamente hacia el lago, tú haces ruido entre los arbustos. "¡Por aquí!", grita una voz detrás de ti.

Durante media hora haces que tus perseguidores vayan en tu busca por los espesos bosques. Al final, estás tan cansado que no puedes continuar.

Uno de tus perseguidores te alcanza. "¿Cómo. . .?" "¿Estás bien, muchacho?"

No te ves muy bien. Las ramas y las espinas han rasgado tu ropa y te han arañado bastante.

"Calma", sonríe el hombre. "¡Hey, muchachos! ¡Hemos estado persiguiendo a un niño!"

Los otros no se muestran muy contentos al enterarse de esto. "¿Por qué este muchacho nos desvió y ayudó a ese monstruo a escapar?"

"Mira, Robbins, cálmate. El muchacho necesita un médico."

Pero Robbins no quiere tomarlo con calma. "Algo me huele mal. Propongo que llevemos a este muchacho con el jefe de la policía local. Él llegará al fondo del asunto."

Unas manos rudas te sujetan, tiran de ti hacia la carretera y te introducen a un camión. Antes de que te des cuenta, ya estás en la jefatura de policía. ¿Qué vas a decir ahora?

*Si explicas lo que sucedió, pasa a la página 30.*

*Si deseas mantener en secreto tu encuentro con el Skrii, pasa a la página 101.*

# 54

---

Es extraña la forma en que tu mente se fija en pequeños detalles mientras te enfrentas a la fatalidad. Deberías estar pensando en qué forma puedes escapar de este monstruo, pero todo lo que haces es observar su caparazón. No es de un gris brillante, como el de los demás Skrii que has visto; el de este guerrero está cubierto con grandes manchas como de óxido. Pero eso no importa. Oxidado o no, este monstruo está a punto de matarte.

El guerrero avanza un paso hacia ti y cae al suelo. Se queda ahí, inmóvil. ¿Se tratará de un truco? Lo observas sin atreverte a respirar, pero el Skrii permanece quieto. Finalmente, das un paso hacia adelante. La gigantesca criatura está muerta.

Observas que las manchas de óxido aumentan. El túnel se llena de un olor desagradable. "Es algo parecido a una epidemia", te dices.

Dejas al túnel pensando a toda velocidad.

---

¿Debes esconderte y esperar a que la peste acabe con el resto de los Skriis? Pasa a la página 113.

¿Debes escapar para informar sobre la invasión? Pasa a la página 42.

Ignorando al robot, corres hacia el cable de electrici-
dad. Lo agarras con ambas manos y tiras de él. No cede.

Mientras tanto, el robot volador avanza rodando en el
aire, como si fuera una bola de boliche. . . tu cabeza parece uno de los pinos. Sólo tienes otra oportunidad. Aprietas
los dientes y tiras del cable con todas tus fuerzas. ¡El cable
se desconecta!

Todo el domo se queda a oscuras, las computadoras
se apagan, los robots caen al suelo. Has matado a la Suprema Inteligencia. La Tierra se ha salvado.

Te enciendes como un árbol de Navidad, pero no es
por el triunfo. Este complejo requería de millones de vol-
tios para operar. Ahora todos ellos estallan dentro de ti y
éste es el

**FIN**

---

Contemplas todo el campo extraterrestre. Debe de haber cientos de naves espaciales ahí, estacionadas en filas muy ordenadas. Enfrente de ti ves una barda. "Una estación de lanzamiento", te dices. "Pero no creo que quieran turistas aquí. Será mejor que me vaya."

Empiezas a correr hacia la barda y notas que te deslizas por el aire. La gravedad de este planeta debe ser mucho más débil que la de la Tierra. Puedes saltar por el aire mucho mejor aún que los astronautas en la luna. La cerca no es problema, saltas por encima de ella. "Creo que acabo de romper un récord olímpico", dices.

Pero aterrizas justo enmedio de un gran grupo de Vorns. Todos están armados y parecen estar enojados.

"¡Un extraño!", grita un Vorn. Y se refiere a ti. "Nuestros líderes sí tienen espacio para extraños como éste en nuestras naves espaciales, pero no para nosotros!"

"Han destruido nuestro planeta", dice otro Vorn. "Ahora abordan las naves, ¡y nos dejan aquí a morir!"

"¡No dejaremos que se salgan con la suya!", dice un tercero. "¡Nos rebelaremos! ¡Apoderémonos de una nave y huyamos!"

"¡ESPEREN UN MINUTO!", le gritas a la multitud. Sorprendidos de que hables su idioma, todos se calman.

---

*¿Sugerirás un ataque masivo a una nave espacial? Pasa a la página 65.*

*¿Sugerirás atacar en forma discreta más bien? Pasa a la página 46.*

# 58

Usando tu confiable llave *borpiz* y tu recién adquirido conocimiento extraterrestre, destruyes los controles de la puerta para que nadie más pueda abrirla.

¡WHAKKK! ¡SPFZZZTT! De los controles destruidos saltan chispas. Afuera, los miembros de la tripulación Vorn golpean la puerta, que ni siquiera se mueve.

Regresas al Mesón Comunicador, y envías un nuevo mensaje a los Falabb. "Ojalá me entiendan", te dices esperanzado.

La conmoción allá afuera va en aumento. "Hasta aquí llegamos", piensas. "Van a entrar."

Un rayo luminoso atraviesa la puerta. Numerosos personajes saltan al interior de la habitación. Pero no son Vorns. Son seres bajos, rechonchos, con caras redondas y rosadas. ¡Deben ser los Falabb!

Quizá tengan cara de niño, pero conocen su negocio, y comienzan a vigilar la puerta armados en forma extraña. Uno se te acerca. Tiene marcas especiales en su traje espacial dorado, y parece estar al mando. "Tú debes ser el prisionero que nos guió hasta acá", te dice el líder. "Somos los Marinos Espaciales Falabb. Gracias por enviarnos ese mensaje tan importante."

El líder te entrega un traje espacial dorado. "Nos iremos tan pronto como te pongas este traje. Después, destruiremos esta nave."

*Pasa a la página 31.*

"¿Puedes llevarme al bosque para que pueda llegar a mi bote?", le preguntas.

Eeyip te guía por pasillos vacíos. Sales por la puerta lateral de un domo, que se encuentra frente a una pared de árboles. Corres hacia ella.

Todo lo que deseas es regresar al lago y a tu bote, pero oyes sirenas de alarma y alboroto tras de ti. ¿Lo lograrás?

Ramas y zarzas te azotan el cuerpo mientras corres. No te molestas en intentar ocultar tus huellas. Sólo tienes dos caminos: lograrlo o no. Detrás de ti sientes claramente la presencia de tus perseguidores.

Los bosques se acaban. ¡Has logrado llegar a la playa! Te lanzas hacia tu bote y lo empujas al agua. Saltas a bordo y enciendes el motor.

En la orilla ves extraterrestres rojos y peludos, que te apuntan con sus varas energéticas. De ellas salen brillantes rayos de luz. No te alcanzan pero, al chocar con el agua, levantan grandes nubes de vapor.

Al instante te pierdes en el vapor. "Que me encuentren ahora", piensas. Los rayos silban a ciegas entre las nubes, y lo único que logran es crear más vapor.

Cuando las nubes se dispersan, te encuentras fuera del alcance de las armas extraterrestres. Pronto te encontrarás a salvo entre los campamentos del otro lado del lago. Tocas la vara que llevas en tu bolsillo. Sí. Estarás a salvo para advertir al mundo.

**FIN**

# 60

Levantas las manos para mostrar que están vacías. "Bienvenidos, visitantes de otro mundo", dices. Has oído estas palabras muchas veces en las películas de ciencia ficción. Quizá funcionen en esta ocasión.

Uno de los robots también levanta la mano. Tiene en su palma una brillante pieza de cristal.

"Hasta ahora voy bien", te dices. ¿Qué dirá el robot?

No dice nada. No obstante, el cristal se hace más brillante. En ese momento salta de él un rayo rosado que va derecho hacia ti. Tan pronto como el rayo te toca caes al suelo. La oscuridad te traga.

Despiertas con dolor de cabeza. Estás acostado en una plancha de plástico, en una habitación con paredes metálicas. Toda la habitación palpita con energía y hace que la cabeza te retumbe.

A pesar de que buscas cuidadosamente, no encuentras nada que se parezca a una puerta. Lo que encuentras es una pantalla plana de cristal con botones en la parte inferior.

"Veamos lo que hace", dices, apretando un botón. La pantalla brilla por un segundo y después muestra la imagen de un planeta que flota en el espacio.

Reconoces el planeta. Se trata de la Tierra. "¿E-estoy en una nave espacial?", te preguntas, tragando saliva con dificultad.

*Pasa a la página 21.*

Con los robots tras de ti, corres hacia el bosque.

¡Buena elección! Únicamente el robot volador podría alcanzarte aquí, pero fue a entregar su informe a la Suprema Inteligencia. Los demás robots chocan contra los árboles y se despedazan.

Al poco rato sólo un robot te persigue. Es una especie de máquina excavadora, con llantas de tanque y manos gigantescas tipo pala. Nada detiene su persecución.

Corres casi sin aliento, pero el robot no tiene ese problema. Te alcanza cuando te tambaleas en tierras cenagosas. Apoyado en la parte posterior de un letrero de madera, jadeas tratando de recuperarte.

¿Un letrero? Lo lees: ¡PELIGRO! ¡ARENA MOVEDIZA!

Elaboras un plan desesperado. Te deshaces del letrero y te escondes en el lado más lejano del claro. En seguida llega el robot. Te tiras al suelo y el robot se lanza derecho hacia ti.

¡GLUUP! ¡GLUUUP! El robot comienza a hundirse. Sus llantas giran con desesperación y sus manos-pala excavan frenéticamente, pero es inútil, no puede escapar. La arena movediza se lo traga.

Te pones en pie, tambaleante. Hay mucho qué hacer. Tienes que regresar con tu familia y advertir a todos de la invasión de los robots.

# FIN

# 62

El desagradable olor del Cerebro te da náuseas. Ya no te importa lo que te suceda, lo único que deseas es destruir al Cerebro. Te encuentras ya en el aire, saltando sobre esta horrible criatura.

*Pasa a la página 97.*

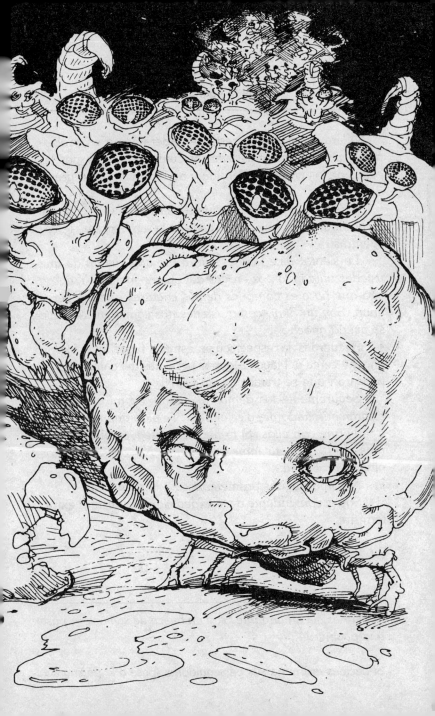

# 64

"Caray, esa criatura está verdaderamente en problemas", piensas mientras avanzas cuidadosamente por las copas de los árboles. "Perdiaa y perseguida por un grupo de patanes."

*¿Tú eres un patán?*, pregunta una voz en tu mente. Te sorprendes tanto que casi te caes de la rama en que te encuentras.

*Lo siento*, dice la voz. *Ahora me doy cuenta de que ustedes utilizan la voz en vez del enlace mental. Y ahora veo que no eres como las demás criaturas que me persiguen. Soy un Skrii, como ustedes nos llamarían. Mi nave se averió anoche. . .*

Recuerdas la espectacular estrella fugaz que vieron anoche cerca del lago. Algunas personas del campamento pensaron que se trataba de un OVNI.

*Seguramente los demás miembros de mi expedición estarán buscándome*, dice el Skrii. *Te pido que me ayudes a reunirme con ellos. Si lo haces, te aseguro que nos iremos de tu planeta inmediatamente. No ocasionaremos ningún problema.*

"¿Cómo puedes prometer eso?", le preguntas.

*Soy el comandante de la expedición*, contesta el extraterrestre.

Si te unes al comandante Skrii en busca de salvación, pasa a la página 94.

Si decides distraer a sus perseguidores, pasa a la página 53.

"Les ayudaré a entrar a la estación de lanzamiento", dices. "¡Permanezcan juntos y muéstrenme la entrada más cercana!"

Cuando te han mostrado la entrada, saltas la cerca con facilidad y llegas a los controles de la puerta. Los rebeldes Vorn se internan en la estación, acercándose a la nave espacial más cercana. "¡Ahora escapemos de este mundo!", gritan.

Todo va bien, hasta que se encuentran con los guardias de seguridad que buscan al terrícola que escapó.

La multitud ataca a los soldados Vorn dotados con armas negras, y son recibidos con una descarga de rayos desintegradores. "¡Corran!", gritan los rebeldes. "¡Sálvese quien pueda!" La multitud se disuelve y los sobrevivientes corren para salvar sus vidas.

"¡Esperen!", les gritas. "¡Tengo un arma secreta!" Sacas el encendedor de tu bolsillo. Ya antes asustaste con él a los Vorn. Quizá lo logres de nuevo. Apuntando hacia los soldados Vorn, lanzas una flama.

El fuego es aterrorizante, claro que sí, pero los rayos desintegradores son mortales. Antes de que puedas hacer nada, queda solamente un pequeño cráter en el sitio donde antes estabas tú.

**FIN**

---

Te acomodas de nuevo en la plancha de mármol. Harás todo lo posible por ayudar al pequeño extraterrestre herido.

Los aguijonazos en tus hombros, espalda y cuello continúan. Se te pone la piel de gallina. Se te nubla la vista.

Parpadeas, y el extraterrestre arrugado se inclina hacia ti para verte. Pero ahora su cara ya no está pálida. Tiene un extraño tono azul brillante y los ojos son de un color que nunca habías visto. "¿Qué?", tratas de decir, pero no puedes hablar.

Te llevas la mano a la cabeza. Ahora también tu mano es azul. Intentas sentarte, pero te sientes demasiado débil para incorporarte. Miras hacia la otra plancha de mármol. De pronto, comprendes lo que está sucediendo. En la otra plancha te encuentras tú. . . o mejor dicho, tu cuerpo.

Tu cara te dirige una mirada triste cuando el extraterrestre arrugado le da una palmadita.

*Ahora, J'Bork*, escuchas la comunicación mental del extraterrestre anciano, *ya sabes que si queremos sobrevivir en este planeta, es necesario que tomemeos cuerpos terrícolas.*

Ahora lo comprendes todo. Estás atrapado en el cuerpo del extraterrestre, y éste no puede respirar el aire de la Tierra. ¿Podrás dejar algún día la seguridad de este domo?

## FIN

Te quedas en silencio, sorprendido por la revelación que la Suprema Inteligencia te ha hecho. Pero tu mente funciona con suma rapidez. ¿Existirá alguna manera de detener a esta gigantesca y vengativa máquina? Observas un cable protegido que lleva a lo que parece ser el banco principal de la computadora. ¿Se podrá desconectar ese enchufe?

Mientras tanto, la Suprema Inteligencia ha continuado hablando. "Desde luego, muchos pueblos se han resistido. Durante todos estos siglos, he perdido muchas tropas. Pero todavía tengo el poder suficiente para matar todo lo que existe sobre la Tierra. Debes sentirte honrado, terrícola. Serás el primero en morir."

Volteas justo a tiempo para ver al robot volador que se precipita hacia ti. Parece que quiere despedazarte la cabeza. Tu vista va del cable al robot, sin que puedas decidir qué debes hacer.

*¿Debes evitar al robot? Pasa a la página 11.*

*¿Debes arriesgarte y tratar de desconectar el enchufe de la Suprema Inteligencia? Pasa a la página 55.*

# 68

Te metes entre los arbustos, y volteas a ver lo que hace el Skrii. La gigantesca criatura se mueve lenta y metódicamente. Parece estar buscando algo. Decides alejarte de ella.

Tratar de arrastrarte silenciosamente entre la maleza no es nada divertido. Especialmente, cuando las zarzas te rozan. Finalmente, llegas a los árboles con sólo unos cuantos rasguños.

Miras de nuevo al Skrii. Ahora te da la espalda. Te arriesgas a encaramarte en un árbol. "Verdaderamente, no soy Tarzán", piensas mientras vas de una rama a otra. "Pero prefiero estar trepado en un árbol que en el suelo con esa cosa. Espero que no pueda subirse a los árboles."

*Pasa a la página 116.*

El puma sigue rugiéndote. Intentas recordar algo que una vez escuchaste sobre qué hacer cuando te enfrentas a un animal salvaje. "Mantén la vista en él", recuerdas. "Trata de amedrentarlo con la mirada. No demuestres temor."

Mirando al puma, comienzas a moverte lentamente hacia un lado. Con un poco de suerte, lograrás darle la vuelta. Después podrás correr hacia el bosque. Si el extraterrestre todavía viene tras de ti, él será el que se enfrente al puma.

"P-precioso puma", le dices.

Podría haber sido un buen plan, pero el truco de mirarlo a los ojos no funciona; al menos no con este puma. Sólo parece molestarle. Quizá los pumas consideren poco educado que su almuerzo los mire a los ojos. Nunca lo sabrás porque, para ti, éste es el. . .

**FIN**

de la página 25

---

Permaneces escondido en el árbol y ves aparecer al grupo de persecutores. Parecen excursionistas. Muchos portan cámaras fotográficas. Otro lleva un rifle; lo sujeta con firmeza y apunta con él a todas las sombras.

"Ten cuidado y fíjate a dónde apuntas con eso, Robbins", le dice uno de sus compañeros. "Podría dispararse y matar a un árbol."

Robbins enrojece. "¡Te sentirás feliz de que lo haya traído cuando ese monstruo te ataque!", dice.

Por la reacción de todos los demás se puede adivinar que han estado escuchando esto durante todo el día. "No nos atacó anoche cuando apareció en el campamento. ¿Por qué tendría que atacarnos ahora?", pregunta un hombre con gorra de pescar.

"Con lo único que vamos a disparar es con nuestras cámaras, Robbins", dice un hombre vestido con ropa deportiva. "Una buena fotografía de esa criatura valdrá millones."

"Sí, ya puedo ver los encabezados", dice otro de ellos. "¡Las primeras fotografías de la Criatura Kinnicot!" "¡El monstruo de *Loch Ness* americano!"

Su charla se ve interrumpida por un agudo chillido. "¡SKRIII!"

Desde la altura donde te encuentras, puedes ver perfectamente lo que sucede. La suerte de la criatura blanca ha terminado. ¡Se ha topado con un oso!

---

*Pasa a la página 87.*

## 72

de la página 49

---

"Escondernos no servirá de nada", piensas, y te paras enmedio de la carretera. Un automóvil se acerca, da vuelta a la curva, te ve y se detiene.

"Soy Ned Harmon. ¿Necesitas ayuda?", te pregunta el conductor. Entonces, se da cuenta de lo que traes en los brazos. "¿De dónde salió eso?"

Le cuentas toda la historia, y añades: "Tenemos que encontrar ayuda."

Ned Harmon asiente. "Vayamos al pueblo." Suben al automóvil y arrancan.

La respiración del extraterrestre se hace aún más difícil. "¿Qué tan pronto podemos conseguir un médico?", preguntas.

"El médico será después. Primero tenemos que ver al jefe de policía", te contesta Harmon.

"¿E-el jefe de policía?", dices.

"Claro." Harmon voltea y te mira. "Mira, muchacho, ya has hecho suficiente tú sólo. Pero aquí estamos hablando de extraterrestres. Quizá de invasión. Tengo que decírselo al jefe de policía. Después conseguiremos un médico."

Demasiado tarde te das cuenta de que las cosas están fuera de tu control, y no parecen ir nada bien.

---

*Pasa a la página 30.*

Piensas que no debes quedarte por aquí. Giras tu bote para alejarte lo más rápidamente posible.

Pero sólo has podido avanzar unos cuantos metros, cuando el bote se detiene de súbito. La proa ha chocado con algo que se extiende bajo el agua. Es un tejido pegajoso, que te recuerda las telarañas. Pasas unos momentos muy desagradables, pero, cuando finalmente logras liberar tu bote, decides seguir al extraño tejido hasta la orilla.

En unos instantes, te encuentras en la playa, y todavía sigues al tejido. Éste se extiende hasta una arboleda. Al acercarte a ella, sientes que algo se mueve entre los árboles. De pronto oyes un ruido que viene del bosque. "¡Skrii!"

"¿Skrii?", te preguntas. "¿Qué es eso?"

De entre las sombras sale arrastrándose la respuesta a tu pregunta: es una rara combinación de insecto y cangrejo. La luz del sol hace destellar su brillante caparazón gris, sus ojos enjoyados y sus fieras tenazas. ¡Éstas parecen ser lo suficientemente grandes para podar árboles! Ves unos arbustos cercanos. Podrías esconderte del Skrii detrás de ellos. O podrías correr hacia tu bote.

Si te escondes entre los arbustos, pasa a la página 68.

Si corres hacia tu bote, pasa a la página 107.

# 74

¿Deberás tener confianza en un ladrón? Es probable que Samuels esté tratando de ganar tiempo. Sus manos siguen estirándose para alcanzar su vara energética.

"¡Por favor!", grita el hombre atrapado. Hool y los demás extraterrestres le apuntan con sus varas. Tú te volteas hacia ellos.

Las varas zumban fuertemente. Cuando te vuelves hacia Samuels, él y el árbol caído han desaparecido.

Hool sacude la cabeza. "Qué pena que hayas tenido que escuchar lo que Fred Samuels dijo."

Ahora Hool y sus amigos te apuntan con sus armas. "Es muy triste, porque. . . Todo lo que Samuels dijo es verdad."

Lo último que oyes es el HISSSSSS. . . de sus varas energéticas.

## FIN

---

"Iré por el camino de la izquierda", decides. "Por lo menos ahí podré esconderme entre todos esos Skriis enfermos."

"Y yo iré contigo", dice la muchacha. "Si tienes forma de salir de aquí, quiero estar presente."

Corriendo por el declive, pronto encuentran el final de la fila de los apestados. Los Skriis enfermos entran en un laberinto de túneles lleno de Skriis saludables.

La aparición de los Skriis infectados ocasiona pánico. Los Skriis sanos chocan entre sí por la prisa de alejarse. Otros comienzan a excavar túneles de escape. Pero éstos debilitan los ya existentes, que ahora se encuentran abarrotados con Skriis.

En unos cuantos instantes, todo el centro del nido comienza a derrumbarse. Observan horrorizados cómo se vienen abajo toneladas de tierra.

---

*Pasa a la página 40.*

El agujero no parece ser un lugar muy placentero para pasar el tiempo. "Creo que trabajaré para ti", contestas.

¡*Excelente!*, replica el Cerebro. *Tu primera tarea será explicar para qué sirven estos artefactos.* Aparece un Skrii obrero tambaleándose bajo una pila de cosas. *Los obtuvimos al capturar a los demás humanos.*

Te preguntas cuántos excursionistas y pescadores han sido secuestrados, pues se trata de una importante colección de equipo. Parece que hubieran recogido toda la existencia de una tienda de artículos deportivos y hubieran hecho una pila con ella. Incluso tu bote se encuentra ahí.

Al bajar el Skrii todo al suelo, un rifle cae justo frente a ti.

*¿Debes tomar el rifle y apuntar con él al Cerebro? Pasa a la página 84.*

*¿Debes ignorar el rifle y mostrar cómo funcionan los demás artefactos de la pila? Pasa a la página 20.*

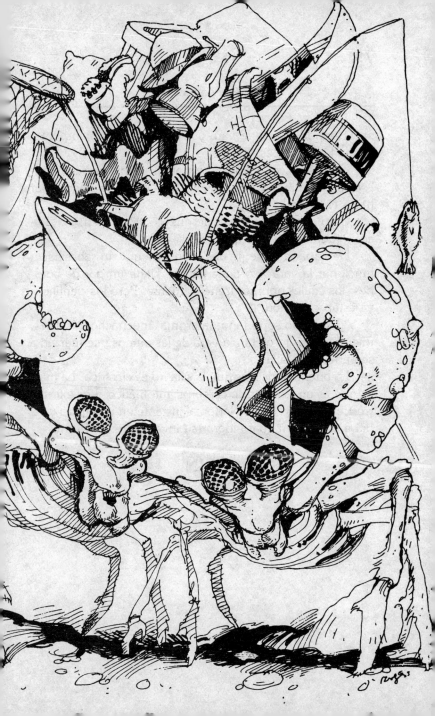

de la página 26

Te apoderas de la vara y, de un salto, te incorporas. "¡Muy bien!", dices. "¡Quietos!"

Los científicos peludos se ponen en pie con lentitud. "No hagan ningún movimiento extraño o los hago volar hasta el techo."

Comienzan a rodearte de nuevo. "Muy bien. . .", dices. "¡Ustedes lo han querido así!"

Demasiado tarde, te das cuenta de que no sabes hacer funcionar la vara. No tiene gatillo. Tiene un par de botones, los cuales oprimes frenéticamente. Pero los científicos ya están casi sobre ti.

"¡Hey! ¿No soportan una broma, muchachos?", dices, mientras ellos te quitan la vara de las manos y te fuerzan a sentarte en la silla.

La buena noticia es que la silla no es eléctrica. La mala es que es un lavador de cerebros automático. Los extraterrestres peludos te convierten al instante en un aliado y espía incondicional para lograr su invasión de la Tierra.

## FIN

Esperando no haber sido descubierto, empiezas a arrastrarte por entre los arbustos. ¿Lo que escuchaste fue el crujido de una rama tras de ti?

Te incorporas y volteas hacia atrás. Ves una piel roja entre las hojas.

¡Lo que te faltaba! Corres para salvarte, abriéndote paso entre los arbustos. No tienes tiempo de llegar al bote. Tu única esperanza es llegar al bosque y esconderte.

Sigues corriendo jadeante. ¿Vendrá tras de ti el extraterrestre peludo? No puedes perder tiempo en observar o escuchar. Corres por entre los árboles, buscando un lugar donde ocultarte.

Un rugido hace que te detengas de súbito. "Ya está", piensas. "Me alcanzó el extraterrestre." Pero cuando volteas, lo que ves es un puma que te observa con las fauces abiertas. Parece estar hambriento. Definitivamente, hoy no es tu día.

Tu primer instinto es huir a toda velocidad, pero, ¿podrás correr más rápido que esta bestia? Quizá puedas asustarlo con la mirada. Has oído de gente que puede hacer esto con los animales. Pero no tienes mucho tiempo para pensarlo. El puma está a punto de saltar.

*Si decides correr y regresar por el camino que llegaste, pasa a la página 32.*

*Si decides mirar a los ojos al puma, pasa a la página 69.*

No te gusta la idea de tener cables conectados a tu cuerpo. Saltas de la plancha y te liberas de ellos.

Los extraterrestres intentan atraparte cuando te encaminas hacia la puerta. Tú los evades y los empujas para abrirte camino.

Tu corazón late precipitadamente mientras corres por los pasillos, buscando un lugar donde esconderte. Abres de par en par la primera puerta que encuentras. Pero lo que ves en la habitación acaba con todas tus ideas acerca de esconderte. En varias plataformas de piedra yacen decenas de seres humanos conectados a la maquinaria. A su lado, en otras planchas, se encuentran extraterrestres enfermos también conectados.

"¡Nos están usando para mantenerse vivos, como los vampiros!", te dices. Sales corriendo de ahí. Tienes que encontrar la manera de advertir al mundo.

Detrás de ti escuchas el ruido de los que te buscan. Te metes en otra habitación. Ésta está llena de máquinas operadas por un extraterrestre que observa una pantalla de video. Miras por encima de su hombro y observas la orilla del lago. Un rayo azul eleva tu bote y lo trae hacia los domos.

*Pasa a la página 36.*

Aprovechas la confusión para escapar del cuarto de control. Tu "memoria" Vorn te guía por la nave. "Tengo que llegar a la estación Lander", piensas. "Robaré uno de sus platillos voladores para regresar a la Tierra."

Nadie te ve mientras avanzas por los pasillos. Por fin, llegas a la estación que buscabas. Presionas un botón y la puerta se abre deslizándose. Sólo te toma un segundo subir a un platillo y abrir la compuerta exterior de la nave.

Parpadeas por la sorpresa. En vez de la oscuridad del espacio, ¡lo que ves es arena! "¿Será posible que me haya equivocado?", te preguntas. "¿Será que nunca abandonamos la Tierra?"

No hay un segundo qué perder. El cuarto de control detectará que la compuerta está abierta. Sales aprisa del platillo y saltas afuera tambaleándote en la arena. ¡Estás libre!

Pero, al incorporarte, te das cuenta en seguida de que algo anda mal. La arena tiene una tonalidad púrpura. El aire huele raro. En el cielo brillan un sol rojo y un sol azul.

Por fin comprendes lo que sucede. La nave sí abandonó la Tierra. Te encuentras en otro planeta.

*Pasa a la página 57.*

# 82

¡Este extraterrestre cara de corteza debe estar loco!
"¿Crees que puedes convertirme *a mí* en tu esclavo?", le
preguntas.

"¿Por qué no?", replica el extraterrestre. "Mi gente lo
ha venido haciendo durante siglos con nuestros insectos
esclavos."

El extraterrestre toca su casco decorado. "También
contamos con la tecnología para lograrlo." Ajusta uno de
los adornos.

De pronto, sientes una urgente necesidad de caer de
rodillas ante él.

"¿Ves?", dice el extraterrestre, "el casco de control
convierte mis pensamientos en órdenes irresistibles. Pronto
perderás la voluntad de rebelarte."

*Pasa a la página 9.*

Tratas de tomar el rifle que se encuentra a tus pies. "¡Si tan sólo pudiera disparar un tiro al Cerebro!", piensas.

Pero no has acabado de tomar el arma cuando docenas de Skriis saltan sobre ti y te arrebatan el rifle de las manos.

*¡Humano traidor!*, grita el Cerebro. *Has fallado en tu prueba de lealtad. Esa arma terrícola fue dejada entre los artefactos para probarte. Sus balas han sido neutralizadas.*

Observándote con fiereza, el Cerebro dicta sentencia. *El Enjambre no necesita sirvientes desobedientes. Que este humano perezca con los demás en el Agujero.*

Ahora tus captores te sujetan por brazos y piernas. Luchas desesperadamente, pero no tienes escapatoria. Los guardias Skriis te levantan y te llevan hasta un enorme agùjero en el suelo. No habías notado la existencia de esta parte de la habitación.

Luchas con más fuerza, pero no sirve de nada. Los Skriis te lanzan y caes hacia abajo, hacia abajo, hacia abajo. . . hasta el fondo del horrible Agujero.

**FIN**

Tú y los tres Arfa se acercan a Fred Samuels. La vara robada se le ha caído de las manos. Lucha por llegar a ella. Entonces, te ve.

"Un ser humano. ¡Ayúdame!", grita. "Estos extraterrestres no son tan amistosos como parecen. No están aquí sólo para estudiarnos. Encontré una de sus cajas parlantes en el campamento. Tiene todos sus planes. Planes para hacer *experimentos* aquí en la Tierra."

La voz de Samuels comienza a temblar. "Los Arfa han arruinado sus mundos. Ahora tienen que encontrar una forma segura de limpiarlos. Por eso van a provocar un caos ecológico en nuestro planeta. Así podrán ver cómo lo resolvemos nosotros. Morirán millones de personas. ¡Tenemos que detenerlos!"

Samuels te mira a los ojos suplicante. "Tengo pruebas. Traje la caja conmigo." ¿Estará diciendo la verdad? Parece sincera su desesperación.

Si piensas que Samuels dice la verdad, pasa a la página 34.

Si piensas que sólo está tratando de hacer tiempo, pasa a la página 74.

# 86

Los túneles amplificaron el sonido de la explosión. Casi no puedes escuchar tu propia voz cuando hablas después del impacto.

"Me quedaré solo." Sospechas que un grupo nutrido de seres humanos corriendo puede atraer la atención del Enjambre.

"¡Muy bien, muchacho, buena suerte!", Concklin desaparece por un túnel. Los otros ya han desaparecido también.

Eliges un túnel y empiezas a correr por él; los oídos todavía te silban por la explosión. Cuando se aclaran, oyes un ruido de agua que corre ¡Los humanos han tenido éxito! ¡Inundarán el nido del Enjambre!

Aceleras el paso. No debes quedar atrapado en la inundación tú también. Pero confías en que al dar la vuelta en el siguiente túnel el camino empezará a conducirte a la superficie.

Al contrario. . . el pasillo no continúa. Cuando llegas a la pared del fondo y te vuelves, encuentras otra pared. . . Ésta es de agua y viene hacia ti a toda velocidad.

## FIN

"¡Esperen!", gritas a los persecutores.

Robbins casi te baja del árbol a tiros. "¿Qué es esto?", grita.

"La criatura que vienen siguiendo. . . está en peligro", explicas mientras desciendes del árbol.

El agresivo oso se inclina sobre la criatura blanca, que dirige sus enjoyados ojos hacia ti. *Por favor*. . . las palabras parecen ser susurradas en tu mente. ¿Habrán oído los demás también?

"¡Habla!", gritas. "¿No lo oyeron?"

Robbins apunta con su rifle. Parece que no puede decidir a quién dispararle primero, si al Skrii o al oso. "¡Esa criatura nos habló!", dices.

Robbins toma una decisión. Como advertencia, dispara tres veces por encima de la cabeza del oso, lo cual hace que éste salga corriendo. "La cosa blanca. . . habló", dice Robbins con voz débil.

Llevan al extraterrestre de regreso al lago. Por el camino encuentran más Skriis, que seguramente han sido atraídos por los disparos. Pronto te encuentras de nuevo en el sitio donde tu aventura comenzó, pero ahora ves un enorme disco brillante que flota a unos metros del suelo.

*Yo - Capitán*. . . susurra la voz. *Perdido - ustedes ayudan - gracias*. . . Los extraterrestres desaparecen en el brillo. Después, el disco se eleva velozmente por el cielo.

"Precioso", dice Robbins después de que todo ha terminado.

"¿Y saben una cosa?", dice súbitamente uno de los excursionistas. "¡Ninguno pensó en tomar fotografías!"

**FIN**

# 88

"No puedo permitir que este gran insecto me lleve a prisión", te dices. "Ahora o nunca."

Corres para adelantarte a tu captor, y das vuelta en el primer túnel lateral que encuentras. El Skrii comienza a perseguirte, pero tú te las arreglas para perderlo después de unas cuantas vueltas. Corres dando tumbos, tropezando con las paredes de los túneles. Para tu sorpresa, mientras más penetras en la tierra mejor ves. Algo que ha sido untado en las paredes emite un brillo fantasmagórico.

Ahora aminoras la velocidad. Estás exhausto y sientes que tienes que detenerte. "Qué bueno que esa enorme cucaracha no sabe correr", piensas mientras das vuelta a una esquina. Te quedas atónito.

Frente a ti se encuentra un inmenso guerrero Skrii. Ha sacado las tenazas, las cuales bloquean el túnel por completo, y su aguijón mortal araña el techo.

Pasa a la página 54.

# 90

**de la página 113**

---

Requieres de toda tu fuerza, pero logras abrir la puerta. Los Skriis enfermos comienzan a salir.

"Espero que infecten a todos los demás", susurras. Sigues el desfile de los ex-prisioneros, esperando encontrar la manera de salir de este nido.

Pronto llegan a una bifurcación en el túnel. El pasaje del lado derecho va hacia arriba. El túnel del lado izquierdo se inclina hacia abajo. Todos los Skriis enfermos avanzan por el túnel izquierdo. Quizá debes seguir tras ellos. Pero, ¿y si el camino del lado derecho es un camino hacia la libertad? Te detienes, sin saber qué hacer.

Una figura sale corriendo del camino del lado derecho. Es un ser humano, una muchacha. "¿Estás bien?", le preguntas en voz baja.

"En realidad, podría estar mejor", contesta ella, con una sonrisa. "No hace mucho por la belleza el andar jugando a las escondidas con los insectos. Llevo aquí un par de días."

"Yo acabo de escapar", dices.

"Te doy un buen consejo. Ten cuidado con los insectos. Siempre tienen hambre. Y comen cualquier cosa, incluso a nosotros. Creo que para eso han venido." Se estremece momentáneamente y después apunta al túnel del lado derecho. "Ese túnel por el que llegué lleva a la comida y a los guardias. Es peligroso. Pero el del lado izquierdo también es peligroso. Lleva a la ciudad de los insectos, donde vive la mayoría."

---

*Si vas hacia la izquierda, pasa a la página 75.*

*Si vas a la derecha, pasa a la página 41.*

---

El grupo de personas va capitaneado por un excursionista llamado Al Fosca. "Los Arfa son muy buenos rastreadores, pero nosotros sabemos a dónde se dirige Fred", dice. "A un mirador que se encuentra a un par de kilómetros de aquí."

Mientras caminan por el bosque, hablas con Fosca. Él conoció a los Arfa hace dos semanas y desde ese momento ha trabajado con ellos. "Su planeta fue casi completamente destruido por la guerra. Sólo quedan unos cuantos Arfa. Se han dedicado a observar a otras razas, para estudiar la forma de reconstruir su sociedad."

"¿Por qué robó Samuels la vara?, le preguntas.

"El viejo Fred es ambicioso", replica Fosca. "Considera que su vara energética tiene poderes mágicos, algo que lo convertirá en el rey del mundo. Guardemos silencio", dice súbitamente en voz baja. "Nos estamos acercando al mirador."

Ante ti se encuentra la ladera de un cerro en cuya cima se encuentra la garita del guardabosques. La estación está aparentemente vacía, pero observando con cuidado puedes distinguir una cabeza tras la ventana.

"Podríamos capturarlo", dice Fosca. Pero antes de lograrlo podría deshacerse de varios de nosotros mientras subimos el cerro." Se vuelve a mirarte. "O. . . Fred no te conoce. Quizá puedas convencerlo de que te deje subir y atacarlo cuando nosotros avancemos. Tú decides."

---

*Si decides asaltar la estación, pasa a la página 96.*

*Si decides intentar convencerlo de que te deje subir, pasa a la página 18.*

# 92

"Espero que tengas una buena razón para hacer esto", dices, y saltas a esconderte entre los arbustos. En seguida escuchas el rugido de un camión que se acerca. Alcanzas a ver rifles en su interior. ¿Y llevaban un venado atado a la defensa delantera?

"¡Cazadores!", dices, estremeciéndote. "Quizá, después de todo, tuviste una brillante idea. No me gustaría nada que termináramos convertidos en un accidente de cacería."

La respiración del extraterrestre se torna más trabajosa. Jadea con desesperación. No es necesario ser médico para saber que necesita ayuda de inmediato.

"Cerca de aquí hay una estación de guardabosques", dices. "Ahí podrán ayudarte."

Pero, antes de que puedas ponerte en camino, oyes el sonido de un motor que se acerca. ¡Los cazadores regresan!

*Si decides permanecer escondido, pasa a la página 13.*

*Si decides correr hacia la estación, pasa a la página 39.*

de la página 20

Ahora ya sabes algo sobre los Skriis: ¡no soportan las vibraciones ultrasónicas!

Respiras profundamente y les sueltas otra dosis de silbidos para perros. Ésta los hace temblar mucho más. Las seis piernas del Cerebro se mueven por espasmos. Ninguno de los Skriis puede caminar o atacar. Sospechas que ni siquiera pueden pensar. Mientras tengas aliento, estás a salvo.

Lanzas otro silbido inaudible y los obreros más pequeños comienzan a caer al suelo. Después de unos cuantos silbidos más, incluso los enormes guerreros tiemblan por última vez. Los demoníacos ojos del Cerebro te miran con odio, pero en seguida incluso éstos se oscurecen con la muerte.

Continúas lanzando silbidos hasta que no puedes más. La habitación está en completa calma. Parece un campo de batalla en el que tú has vencido.

Dejas escapar un suspiro de alivio. Ya no existe la amenaza de los Skriis. "Se lo merecían", dices. "¡Cangrejos asquerosos!"

# FIN

Tu enlace mental con el Skrii le ayuda a evadir a sus perseguidores con facilidad. Desde lo alto del árbol encuentras una ruta segura para el Skrii, en la que no se topará con los seres humanos.

Pasado el peligro, bajas del árbol. Tú y el Skrii se apresuran a llegar al cerro del que viste surgir el misterioso mástil. Finalmente, los perseguidores se dan cuenta de tu truco. Pero están bastante lejos de ustedes.

Comienzan a ascender el cerro, y son recibidos por una patrulla de búsqueda Skrii. Se puede ver un brillante globo de luz detrás de un hueco en el cerro. Es la nave espacial Skrii. En unos instantes los extraterrestres desmantelan su equipo. Después, abordan la nave. *Adiós, y gracias*, dice el comandante Skrii. La nave se eleva sin problemas.

Todavía estás diciendo adiós, cuando varias manos te sujetan. ¡Olvidaste a los perseguidores humanos!

"Llevemos a este chico al pueblo", dice un hombre. "Tenemos que averiguar qué pasó con ese monstruo extraterrestre."

*Pasa a la página 12.*

"Creo que Samuels se dará cuenta de que se trata de una trampa si yo me acerco", dices.

"Iremos todos juntos", dice Fosca. Tus acompañantes sacan sus varas energéticas. "¿Listos? ¡Vamos!"

Comienzan a ascender el cerro. Samuels dispara con su vara y algunos caen al suelo. "¡Tenemos suerte!", grita Fosca. "¡Fred ha colocado su vara en la posición de paralizamiento!"

Sin embargo, es alarmante ver a todos esos hombres caer. Al subir las escaleras, caen varios más. Sólo cuatro de ustedes logran llegar a la plataforma superior. Te arrojas a las rodillas de Samuels; al caer éste, su vara golpea contra una mesa y se quiebra en dos partes.

"Está bien, me atraparon", rezonga Samuels. "Pero ya no es un secreto la existencia de sus preciosos Arfa. Llamé a los guardabosques por la radio, y vendrán en seguida."

"¿Qué hiciste?", explota Fosca. "Dimos nuestra palabra de que mantendríamos en secreto la presencia de los Arfa."

Samuels esboza una sonrisa malévola. "Bueno pues los guardabosques tendrán muchas preguntas que hacernos, y yo les daré muchas respuestas."

"Tengo una idea", dices. "Pero antes tenemos que cambiar de lugar a las personas paralizadas. Para ello usaremos las varas energéticas."

Cuando llegan los guardabosques, los miembros del grupo de búsqueda que han sido paralizados están escondidos en el bosque. Pero Samuels recibe a los guardabosques con: "¡Tengo algo que contarles!".

*Pasa a la página 110.*

¿*QUÉ*? Los pensamientos del Cerebro retumban en tu mente. Pero tú ya estás encima de él. Un aguijón zumba tras de ti, pero no te alcanza.

El Cerebro trata de escapar. Su enorme cabeza se tambalea aún más que antes. De pronto, pierde el equilibrio, cae y se estrella estrepitosamente contra el suelo.

Unos cuantos estremecimientos, uno o dos temblores, y la criatura se queda quieta. Ni siquiera la tocaste. Forzó demasiado su débil cuerpo. El Cerebro está muerto.

Te quedas paralizado, con las manos levantadas. Temes que en cualquier momento se te claven los aguijones vengativos. Pasan los minutos y no sucede nada.

Finalmente, te esfuerzas por regresar a la cámara. Los Skriis corren para arriba y para abajo sin motivo, chocando entre sí. Todos llevan huevos enormes, miles de huevos. Pero sin el Cerebro están completamente perdidos.

"Conque para eso están aquí", te dices. "Pensaban convertir a la Tierra en una incubadora y a los seres humanos en alimento para bebés, seguramente."

Ahora, sin embargo, los Skriis sin inteligencia devoran los huevos. De todas maneras, sospechas que estas bestias estúpidas no sobrevivirán mucho tiempo. Pero por ahora, no te importa. Te alejas apresuradamente, contento por haber salvado a la Tierra de su destrucción.

**FIN**

Remas en silencio, pasas la extraña construcción, y llevas el bote hasta la orilla.

"La siguiente parada será la cima de ese cerro", te dices. "Puedo esconderme entre los arbustos, y así podré ver bien qué está sucediendo."

Efectivamente, tienes una vista panorámica. Y lo que ves allá abajo es más que la construcción de un edificio anti-gravedad. Has descubierto a los albañiles más extraños del mundo.

Los domos, mástiles y muros son construidos por numerosas criaturas altas y muy raras. Realizan su trabajo con velocidad de galgos y agilidad gatuna. Pero no se parecen a ninguna persona ni animal que tú conozcas. Una de las razones es que todos están cubiertos por una piel peluda y roja.

Observas con interés la forma en que un albañil extraterrestre apunta con una vara brillante hacia unas vigas. Como por arte de magia, los pesados materiales flotan en el aire. Jadeas con asombro. Las puntiagudas orejas del extraterrestre se crispan. Después, su cabeza, junto con la vara brillante se vuelven en dirección a donde tú estás.

*¿Debes quedarte quieto y esperar que no te hayan descubierto? Pasa a la página 106.*

*¿Debes arrastrarte y alejarte por entre los arbustos? Pasa a la página 79.*

---

"¡Estos robots están despedazándose!", piensas, feliz. Pero ellos son muchos y tú estás solo.

Los robots empiezan a rodearte de nuevo. Pero el robot volador que había revoloteado por encima de tu cabeza abandona el círculo que se ha cerrado a tu alrededor. Al alejarse, grazna: "Debo informar a la Suprema Inteligencia. . ."

Te lanzas por el hueco que ha dejado en la pared formada por los robots, y corres desesperadamente. Los robots comienzan a perseguirte, cuando, de pronto, dudas. Sabes que debes huir de allí. Pero, por otro lado, sientes curiosidad por esta "Suprema Inteligencia".

---

*Si decides seguir corriendo, pasa a la página 61.*

*Si deseas regresar y averiguar qué es la Suprema Inteligencia, pasa a la página 103.*

# 100

Réspiras profundamente y bajas del árbol. No eres lo suficientemente fuerte como para detener al coyote enloquecido, pero quizá puedas distraerlo. Y quizá el Skrii blanco pueda escapar mientras el coyote te obliga a subirte de nuevo al árbol.

Bueno, pues una parte de tu plan funciona. El coyote voltea hacia ti antes de saltar y comienza a perseguirte. Desafortunadamente, el tacón de tu zapato escoge este momento para atorarse entre unas raíces. Caes, y el coyote se lanza sobre ti.

Una llamarada te ciega. Cuando recuperas la vista, en el sitio donde se encontraba el coyote sólo queda una bocanada de humo.

El Skrii blanco está todavía ahí, sólo que ahora está acompañado. Se te acerca amenazador un gran Skrii de color gris plata. Éste tiene unas tenazas enormes y un aguijón parecido al de un escorpión. Está a punto de atacarte.

"Deténgase, teniente", dice el Skrii blanco. "Este terrícola me salvó la vida."

El enorme guerrero hace una reverencia y obedece. "Sí, su majestad", contesta.

No has salvado cualquier cosa. Has salvado a la Reina del Enjambre Skrii. "Abandonemos este planeta", dice la reina. "Es demasiado peligroso, a pesar de sus valerosos y nobles habitantes. Gracias, amigo", te dice. Después, ella y el teniente se alejan.

Unos momentos después, el cielo del anochecer se ilumina con poderosas luces. Los Skriis se han ido para siempre.

## FIN

Pones cara de inocente. "Le contaré lo que sucedió", dices. "Estaba caminando por el bosque cuando escuché fuertes gritos tras de mí. Después estos hombres comenzaron a perseguirme."

Sacudes la cabeza. "¿Usted se habría detenido a preguntar qué sucedía? Uno de esos hombres tenía un rifle. Así que me alejé de ahí lo más rápidamente posible."

"¿Y qué me dices de esa criatura que vieron?", te pregunta el jefe de policía.

"¿Criatura? Yo no vi ninguna criatura. Lo único que vi fue a un grupo de personas que gritaban."

El jefe de policía encoge los hombros. "Locura de verano. Bueno, ya pueden irse."

Robbins se queda a discutir con el jefe, lo que resulta afortunado para ti, ya que, al salir del cuartel, ves algo luminoso que se eleva desde el parque. Flota en el aire por un momento y, después, se aleja velozmente hacia el horizonte.

Sonríes. Si el señor Robbins hubiera visto eso, probablemente habría sufrido un ataque.

## FIN

La colina está completamente llena de túneles y pasa-
jes. "¡Vaya!", piensas. "Éstos han trabajado muchísimo."
La única respuesta que recibes es un empujón más fuerte
de las mandíbulas de tu guardia.

Conforme van penetrando a lo más profundo, una la-
ma brillante que cubre los muros del túnel ilumina su camino. El olor a almizcle se hace más fuerte. Finalmente, te
empujan al interior de una enorme cámara. En ella se encuentran cientos de criaturas Skrii: unas están de pie; otras
asienten y hacen reverencias, y otras marchan alternada-
mente al centro y a los extremos de la habitación.

"¡Qué horror!", murmuras. Cuando ves lo que hay en
el centro de la habitación, sientes un mareo. Se trata de
una criatura con un pequeño cuerpo de Skrii. Sin embargo, su cabeza es una enorme masa palpitante. Se tambalea
de un lado a otro mientras otras criaturas le informan.

*Bienvenido, terrícola.* Dentro de tu cráneo parece hacer eco una voz. *Soy el Cerebro. Todos éstos son mis brazos y piernas. Háblame de tu planeta.*

Ya estás harto de que te empujen, pero, ¿qué debes
hacer?

*¿Debes atacar a esa horrible cosa? Pasa a la página 62.*

*¿Debes intentar averiguar qué desea? Pasa a la página 109.*

de la página 99.

Sigues al robot volador hacia lo que parece un sitio en construcción, y penetras en un enorme domo negro.

Todo el domo está lleno de equipo de computación. Al detenerte para recuperar el aliento, la entrada del domo se cierra estrepitosamente tras de ti. "Una forma de vida orgánica", retumba una voz grave desde las enormes bocinas. "No había visto nada parecido a ti en mucho, mucho tiempo."

"¿Quién eres? ¿Dónde estás?", gritas.

"Soy la Suprema Inteligencia", te contesta la voz. "Soy todo este domo."

"¿U-una computadora?", dices.

"La mejor que jamás haya sido creada. Fui construida en una galaxia lejana por formas de vida orgánica muy parecidas a ti. Estaban perdiendo una guerra, por eso me construyeron a mí y a los robots que has visto."

"¿Por qué?"

"Por venganza. Mi programación básica es sencilla: matar a todas las formas de vida orgánica dondequiera que las encuentre. Desde entonces, mis robots y yo hemos vagado por el universo, llevando a cabo esta única función."

"¿Por cuánto tiempo ha estado sucediendo esto?", preguntas.

"Durante los últimos 73 000 de tus años terrícolas", replica la Suprema Inteligencia. "Y a cada raza que he descubierto, la he exterminado."

*Pasa a la página 67.*

**104**

**de la página 37**

Mientras corres, volteas por encima de tu hombro. El ocupante del carro chocado sale de él vacilante: es un robot sin cabeza. Te diriges hacia un bosque cercano. Parece que sí lograrás escapar. Pero detrás de los árboles aparecen más robots. ¡Estás rodeado!

Un enorme y oxidado robot trata de alcanzarte con su mano metálica. Desde sus bocinas te llegan las palabras: "La Suprema Inteligencia exige. . . muerte a toda vida orgánica. . ." La mano sujeta tu brazo mientras otros robots te rodean.

A pesar de que sabes que es inútil resistirse, insistes en intentar liberarte. Para tu sorpresa, ¡lo logras! Con un chasquido, el oxidado brazo del robot se desprende de su cuerpo.

Volando a través del círculo de robots, el brazo metálico se estrella con la cabeza de otro autómata. Al despedazarse el segundo robot, caen al suelo grandes cantidades de placas metálicas.

*Pasa a la página 99.*

   **de la página 98**

Te quedas como paralizado mientras el peludo extraterrestre mira con insistencia hacia donde estás. Después, sus orejas vuelven a la posición normal al mover él la cabeza. Aparentemente, no te vio.

De pronto escuchas un crujido tras de ti. Giras rápidamente y ves a un extraterrestre peludo que te apunta con una vara luminosa. ¡HIISSSSSS! La oscuridad cae sobre ti.

*Pasa a la página 15.*

Volteas para correr hasta tu bote, pero descubres que detrás de ti ha aparecido otra criatura Skrii. Desafortunadamente, ésta no sólo tiene tenazas sino también un enorme aguijón. Mide como tres metros y medio. No tienes para dónde correr.

La criatura se acerca a ti hasta que sus enormes mandíbulas tocan tu pecho. Entonces, comienza a empujarte.

"Quieres que vaya a alguna parte, ¿eh? Claro, seguro." Te das cuenta de que estás hablando sin sentido, pero no puedes evitarlo. El enorme Skrii te empuja lejos de la orilla y hacia la cima de una colina. "Es un bonito día para dar un paseo, ¿no? Aa-aa. ¡AUXILIO!", gritas.

Nadie viene a salvarte. Por el contrario, el Skrii te empuja al interior de un túnel subterráneo, que te parece un hormiguero gigante.

El lugar huele a tierra húmeda y tiene un peculiar aroma a almizcle, que ya habías percibido en tu guardia Skrii. Comienzan a descender.

---

*Si decides tratar de escapar e internarte en los túneles, pasa a la página 88.*

*Si dejas que tu guardia te lleve a donde se supone que debes ir, pasa a la página 102.*

# 108

"Iré con ustedes", dices a Hool y a los demás extraterrestres.

"De todas maneras necesitarás esto", te dice uno de los humanos, alargándote una vara energética de treinta centímetros de largo. "Es una herramienta y un arma a la vez." Te hace una rápida demostración de las tres posiciones de la vara: la primera es para elevar objetos; la segunda es para paralizar animales y personas, la tercera es ZAP y sirve para evaporar cualquier cosa.

Hool y los otros extraterrestres tienen prisa por irse. Pronto se han internado en el bosque, y tú haces todo lo posible por mantener su ritmo.

Los Arfa son expertos rastreadores. Hool encuentra huellas de pisadas y ramas rotas que marcan la ruta de Samuels. Algunas veces se queda quieto, olfateando el aire en busca de algún rastro del olor de Samuels.

Ahora oyen ruidos adelante de ustedes. Parece como si alguien corriera alocadamente por el bosque. ¡El ladrón!

Finalmente, alcanzan a ver a un hombre que corre; va vestido con una chamarra oscura. En la mano lleva una de las varas luminosas. Instantáneamente Hool levanta su vara y dispara.

Es obvio que la vara está en la posición ZAP. Aunque el rayo no alcanza a Samuels, corta el tronco de un árbol situado detrás de él. El árbol cae violentamente contra el suelo, dejando atrapado a Fred Samuels.

*Pasa a la página 85.*

---

"Ya que te molestaste tanto en hacerme venir hasta aquí, supongo que debería escucharte", dices.

*¡Terrícola tonto! Detecto en tus palabras esa cosa extraña que tu forma de vida llama sentido del humor. No te hará ningún bien. ¡No si lo utilizas en contra del Enjambre Skrii! El solo poder de los pensamientos te hace callar.*

*La grandeza del Enjambre está más allá de tu débil comprensión. Hemos destruido y devorado todos los demás enjambres. El nuestro cubre nuestro Mundo por completo. Pero ahora los Skriis se mueren, pues ya no hay espacio en nuestro planeta.*

No es fácil hacerse a la idea de que ésta es una raza que se come a sus rivales. Pero el Cerebro continúa. *Otros mundos tienen mucho espacio, como éste. Por eso el Enjambre Skrii ha venido a este planeta que ustedes llaman Tierra. Será un buen Mundo nuevo para nosotros, después de que eliminemos a los seres de piel blanca llamados en conjunto humanidad.*

Esta noticia te hace preguntarte cuál, exactamente, puede ser tu parte en los planes del Cerebro. Es casi como si la criatura pudiera leer tu mente.

*Por ahora, lo que necesito es información sobre los humanos. Puedes quedarte y servirme, o reunirte con los demás prisioneros en el Agujero.*

---

*Si aceptas la oferta del Cerebro, pasa a la página 76.*

*Si decides unirte con los prisioneros, pasa a la página 52.*

**de la página 96**

---

Fred Samuels dice todo lo que sabe sobre los Arfa a los atónitos guardabosques. Cuando por fin termina su historia, un guardabosques se dirige a ti. "¿Qué nos puedes decir de esto?"

Piensas con rapidez. "Es exactamente como él dijo. Pero los extraterrestres no eran grandes y peludos, eran hombrecitos verdes."

Fosca se da cuenta de lo que intentas hacer. "No, no eran así. Eran los seres Púrpura del planeta Garbalón. Me dieron los secretos de la antigravedad. Por aquí los tengo. . ." Comienza a buscar en su mochila.

"¡Es suficiente!", dice el guardabosques. Él y sus compañeros empiezan a salir del mirador. "Platillos voladores, seres púrpura. . . Están locos", murmura, alejándose.

"¡Oigan!" ¡Oigan, esperen!", dice Samuels.

Fosca sonríe y te guiña un ojo. Tu secreto está a salvo.

# FIN

En este instante, lo único que deseas hacer es ¡ES-CA-PAR! Te lanzas a la puerta, seguido por la extraterrestre que te advirtió. Ya en el pasillo, ella te empuja hacia otra puerta. Cuando aparecen los demás científicos, ella apunta hacia el pasillo. Todos los científicos peludos siguen la pista falsa.

Tu amiga secreta camina hacia la puerta por la que entraste, sacando un objeto del bolsillo de su bata. Es un disco del tamaño de una moneda, el cual presiona sobre tu frente. El objeto se queda pegado.

Pega otro disco en su frente. "Espero que me entiendas porque no tenemos mucho tiempo. Soy Eeyip, y soy Gu'ur. Mi gente busca nuevos mundos para nosotros. Pretenden conquistar tu planeta.

"No todos los Gu'ur apoyamos esta política tan agresiva. Por eso te voy a liberar para que puedas advertir a tu gente. Si nuestros exploradores consideran que tu planeta está bien preparado, cancelarán el ataque."

Eeyip te da una vara energética, y te muestra sus posiciones y el alcance de su energía. "Llévate esta arma como prueba."

"Te mostraré cómo salir de este edificio", añade. "Pero una vez que estés afuera, ya no podré ayudarte."

*¿Debes dirigirte a tu bote? Pasa a la página 59.*

*¿Debes dirigirte a los cerros que circundan el campamento? Pasa a la página 35.*

"Si los Skriis tienen esta enfermedad, lo único que necesito es un sitio donde esconderme", te dices. "Después dejaré que el mal siga su curso."

Sin embargo, encontrar un escondite en un hormiguero tan grande no es fácil. ¿Cómo saber cuáles túneles tienen mucho tráfico y cuáles no?

Mientras buscas un sitio seguro encuentras algunas otras víctimas de la epidemia. Todos se alejan de ti. "¡Parece que son ellos los que tratan de esconderse!", piensas. Algunos túneles están materialmente cubiertos de cuerpos.

Finalmente, llegas a una pesada puerta enrejada que cierra un túnel. Te quedas pensando un momento. Ésta es la primera puerta que has visto desde que entraste en este laberinto. Incluso tiene un guardia, un guerrero Skrii caído, liquidado por la epidemia del óxido. Lo que se encuentre del otro lado debe ser importante.

Escalas hasta el enrejado para mirar. Lo único que ves es varios Skriis enfermos, arremolinados en un cuarto de buen tamaño. Por eso se escondían los Skriis enfermos. ¡Ésta es una prisión para los apestados! Los Skriis sanos encierran a los enfermos.

"No por mucho tiempo, sin embargo", te dices mientras quitas la tranca de la puerta.

*Pasa a la página 90.*

# 114

"Pues no sé", dices, vaciando tus bolsillos.

"Llaves, navaja, cuerda. ¿Qué es esto? ¿Dulce viejo? ¡Qué asco! Monedero, dinero. Nada útil", dice, regresándote tus cosas. "¿Es todo?"

"Creo que sí", contestas. "¡Esperen! ¿Cómo pude olvidar esto?" Sacas de tu chaqueta una radio de transistores.

"¿Están en buen estado estas pilas? ¡Son exactamente lo que necesitábamos!", dice Conklin. "Tenemos todo excepto una fuente de energía para el dispositivo de tiempo. Unas cuantas conexiones, y todo estará listo."

Los prisioneros forman una pirámide humana para que uno de los hombres salga del Agujero. Lleva una cuerda hecha con chaquetas hechas tiras. Pronto están todos afuera. Por suerte, el Enjambre no dejó guardias aquí. Conklin da las órdenes.

"Profesor, usted, Vic y Walter fijen la bomba de modo que abarque lo más que se pueda del túnel que conduce al lago." Conklin voltea hacia el grupo. "Los demás, dispersémonos."

Te toma del brazo y te dice, "Si lo prefieres, puedes quedarte conmigo."

La bomba estalla con un ruido ensordecedor.

*¿Debes irte por tu cuenta? Pasa a la página 86.*

*¿Debes quedarte con Conklin? Pasa a la página 40.*

El Mesón Comunicador entra en operación, enviando tu mensaje al espacio una y otra vez.

Buscas entre las herramientas algo que puedas utilizar para defenderte. Finalmente, escoges algo que tu memoria Vorn llama una llave *borpiz*. La sostienes con firmeza entre tus manos y te paras en guardia junto a la puerta.

La llave quizá no pueda detener a los Vorn, pero puede dar a estas criaturas Falabb un poco más de tiempo para encontrar tu ubicación. Aunque no conoces a los Falabb, esperas que se apresuren a venir a vengarse de los Vorn. Ellos son tu única oportunidad de salvar a la Tierra.

La espera te parece interminable. De pronto comienza en toda la nave un confuso y constante ulular de alarmas. En la habitación, una pantalla se enciende. Muestra la llegada de una flota de naves con forma de flecha. ¡Los Falabb están aquí!

Ahora oyes ruido afuera, en el pasillo. Los Vorn corren hacia la habitación donde tú estás para tomar el mando de sus estaciones de batalla.

*¿Debes salir de la habitación antes de que los Vorn te atrapen? Pasa a la página 29.*

*¿Debes quedarte para dirigir a los Falabb hacia esta nave? Pasa a la página 58.*

# 116

Bajas al mono-Pooch al suelo, pero no escapa como esperabas.

"Será mejor que sea honesto contigo", dice el mono; "soy miembro de la tripulación de una nave espacial de otro sistema solar. Nos quedamos sin combustible y tuvimos que hacer en tu planeta una escala que no habíamos planeado. Afortunadamente, uno de nosotros había estado aquí antes y el médico de a bordo pudo implantar tu idioma en nuestro cerebro, tomándolo del de esa persona. Nos enviaron a casi todos en busca de combustible".

La cabeza te da vueltas, pero finalmente te las arreglas para contestar: "Bueno, pero, ¿qué hiciste con mi perro?"

El mono parece estar apenado. "Sí, bueno, no estoy familiarizado con tu planeta y, puesto que tu perro intentó huir del peligro, pensé que era la forma de vida más inteligente que tenían, así que tomé prestada su forma. No te preocupes, te devolveré a tu perro antes de partir".

"Pero. . . ¿cómo lo harás? ¿Cómo puedes cambiar de una forma a otra?", le preguntas. Podría servirte en la escuela, cuando no hayas hecho la tarea.

El mono dice: "Me temo que ésa es una habilidad con la que se nace".

*Pasa a la página 13.*

Se terminó de imprimir el día 30 de octubre de 1987
en los talleres de Impresora Publimex, S.A.
Calz. San Lorenzo Tezonco No. 279-32,
Iztapalapa, México, D.F. La tirada
fue de 4 000 ejemplares.